C0-ALB-514

Shuangse **双色版**
XIAOXUESHENGZUOWENGUANZHI
小学生作文观止

小学生

看图作文

XIAOXUESHENG
ZUOWENGUANZHI

张　丛/主编

- 权威专家铸就金牌品质
- 特级教师奉献致胜法宝
- 最佳指导打造作文高手

北京燕山出版社

责任编辑:陈赫男

图书在版编目(CIP)数据

小学生看图作文/张丛 主编.—北京:北京燕山出版社　2008.11

(小学生作文观止)

ISBN 978－7－5402－2034－1

Ⅰ.小… Ⅱ.张… Ⅲ.作文－小学－选集　Ⅳ.H194.4

中国版本图书馆 CIP 数据核字(2008)第 184867 号

小学生看图作文

主　　编	张　丛	
责任编辑	陈赫男	
出版发社	北京燕山出版社	
地　　址	北京市宣武区陶然亭 53 号	
邮政编码	100054	
印　　刷	北京业和印务有限公司	
开　　本	710×1000 毫米　1/16	
印　　张	14	
版　　次	2009 年 3 月第 1 版　2009 年 3 月第 1 次印刷	
印　　数	5000	
书　　号	ISBN 978－7－5402－2034－1	
定　　价	268.00 元(全十册)	

前　言

　　写作能力是每位学生必须具备的一种基本能力。培养提高学生的写作能力和水平也是当今中小学语文教学中最重要的教学目标和任务之一。

　　不论是以前的旧《大纲》，还是以后要施行的新《大纲》，这个目标和任务不但不会改变，而且要大大地加强和突出。

　　本着这一目的，我们特邀请了一批业务能力强、教学水平高、实际教学经验丰富的专家和骨干教师，精心编选了这套作文丛书。

　　内容的丰富多彩是本套丛书的特点之一。内容涉及广，反映了社会生活、经济文化、风土人情、校园生活等方方面面，给我们描绘了赤橙黄绿青蓝紫的大千世界，字里行间迸发着创新思维的火花，体现着创新精神和素质教育的气象，散发着浓郁的生活气息和时代气息。你会被这些从心底流淌出来的真性情、真感觉、真情趣所感染，你会被这些"以天下为己任"、"为中华之崛起而读书"的壮志雄心所鼓舞！你会为这些充满着睿智的、张扬着个性的、有血有肉的作文而喝彩！

　　形式的多种多样、风格的异彩纷呈是本套丛书的特点之二。入选的作文文情并茂，"亮点"多多，在形式和风格上，都呈现出多样性，几乎涵盖了文章的各种形式和各样风格。

　　形式上，有独出心裁、打破常规的，也有一般记物论理的；有借用应用体式和文学样式标新立异的，也有论古道今写实的。还有联想、科幻的。

　　风格上，庄重、诙谐兼备，典雅、通俗皆有，犀利、柔婉共体；

有"明月松间照"的清新，"小荷才露尖尖角"的柔美，更有"大江东去"的豪放、"杨柳岸晓风残月"的婉约……这正应了古人的两句话："文章自得方为贵，衣钵相传岂是真！"

　　本套丛书均出自小学生之手，内容新颖健康，生动亲切，不但可以帮助小读者掌握写作技巧，而且可以开阔眼界，是小学生学习作文的良师益友！

编　者

目　　录

写人篇

小学生看图作文

记事篇

描景篇

小学生看图作文

状物篇

应用篇

想象篇

小学生看图作文

爱钻研的小发明家

湖北 艾美

他红扑扑的脸蛋胖乎乎的。一双黑宝石一样的眼睛闪着聪慧的光芒。只要一思考起问题来，眼珠，就骨碌碌地转，好象一下子就能冒出主意来。一张小嘴巴也总喜欢问为什么。他十分好奇，一旦发现了问题就会追问不休，非弄到水落石出不可。家里的

小闹钟、半导体都会在他手里"粉身碎骨"，研究了一番后，又逐一恢复了原形。他爱看书、爱钻研。奶奶说："看来，我们家里要出个小发明家了。"

看！他又在忙了。只见他捧着一本书，一会儿皱眉头，一会儿又放下书拿起榔头、凿子来"乒乒乓乓"地敲上一阵子，不一会儿就满头大汗了。他看着手里的玩艺儿，一

huì er chén sī   yí huì er yáo tóu   hái zì yán zì yǔ ne   mā ma jǐ cì jiào tā chī fàn
会儿沉思，一会儿摇头，还自言自语呢，妈妈几次叫他吃饭，

tā dōu bù lǐ   zhēn shì dào le fèi qǐn wàng shí de dì bù le   tū rán   tā tiào le qǐ lái
他都不理，真是到了废寝忘食的地步了。突然，他跳了起来，

gāo xìng de jiào   chéng gōng le   chéng gōng le   tā xīng fèn de xiǎo liǎn zhàng de
高兴地叫："成功了！成功了!"他兴奋得小脸涨得

tōng hóng   ná zhe zì jǐ shè jì de duō gōng néng yī jià yǎn shì gěi zhè gè kàn   gěi nà gè
通红，拿着自己设计的多功能衣架演示给这个看，给那个

kàn   hái bù tíng de jiè shào tā de yōu diǎn
看，还不停地介绍它的优点。

děng dà jiā kàn zhe zhè gè xīn fā míng zé zé chēng zàn de shí hòu   tā yǐ jīng yòu huí
等大家看着这个新发明啧啧称赞的时候，他已经又回

dào tā de fáng jiān lǐ qù kāi fā xīn de yán jiū xiàng mù le
到他的房间里去开发新的研究项目了。

名师点评

作文生动地写出了一位爱钻研、追求发明创造的小朋友。表现在好提问、爱看书、多思索、勤实践，作文中还提到：他动手拆过的物件，哪怕到了"粉身碎骨"的地步，都能恢复原状，又介绍他发明了"多功能衣架"，可见，他还是有能耐心，有能力的。

妞　妞

湖南　莫　清

wǒ yǒu yí gè xiǎo mèi mei jiào niū niū   gāng mǎn yì zhōu suì   tā zhǎng zhe yì zhāng
我有一个小妹妹叫妞妞，刚满一周岁。她长着一张

pàng dū du de liǎn   bái lǐ tòu hóng   xiàng gè dà píng guǒ
胖嘟嘟的脸，白里透红，像个大苹果。

suī rán tā zuǐ lǐ cái zhǎng le yì kē yá   què néng bǎ bǐng gān   xiā tiáo jiáo de fěn
虽然她嘴里才长了一颗牙，却能把饼干、虾条嚼得粉

suì　　tā de gē bo hé tuǐ dōu pàng pang de　　xiàng ǒu duàn yí yàng　　tā pá qǐ lái shǒu jiǎo
碎。她的胳膊和腿都胖胖的，像藕段一样。她爬起来手脚

bìng yòng　　kě kuài le
并用，可快了。

mèi mei hěn tiáo pí，mā
妹妹很调皮，妈

mā bào tā shí　　tā zǒng shì shēn
妈抱她时，她总是伸

chū xiǎo shǒu qù zhuā mā ma de
出小手去抓妈妈的

yǎn jìng　　xiào zhe wǎng zì jǐ
眼镜，笑着往自己

de liǎn shàng dài　　tā tè bié xǐ
的脸上戴。她特别喜

huān chū qù wán　　zhǐ yào nǐ shuō　　guàng guàng qù　　bù guǎn rèn bù rèn shi nǐ　　tā
欢出去玩，只要你说"逛逛去"，不管认不认识你，她

dōu huì shēn chū xiǎo shǒu ràng nǐ bào　　yì chū dà mén mǎ shàng méi fēi sè wǔ　　luàn bèng
都会伸出小手让你抱，一出大门马上眉飞色舞，乱蹦

luàn tiào　　gāo xìng de zhí pāi xiǎo shǒu
乱跳，高兴得直拍小手。

xiǎo mèi mei ya zhēn kě ài
小妹妹呀真可爱！

名师点评

　　小作者通过仔细观察，描述了一个活泼可爱的小女孩充满了情趣。

交通警

广东　古嘉裕

měi dāng wǒ jīng guò shí zì lù kǒu shí　　wǒ de mù guāng zǒng huì bù yóu zì zhǔ de tóu
每当我经过十字路口时，我的目光　总会不由自主地投

xiàng lù zhōngyāng de jiāotōngjǐng
向路中央的交通警。

jì de yǒu yí cì   wǒ dú zì
记得有一次，我独自

cóng shào nián gōng huí jiā   bù zhī
从少年宫回家，不知

zěnme de   jīn tiān chē liàng tè bié
怎么的，今天车辆特别

yōng jǐ   lái wǎng de jī dòng chē
拥挤，来往的机动车

bēnchízhe   zì xíngchē   zhùdòng
奔驰着，自行车、助动

chē yě chuān liú bù xī   wǒ tiào
车也川流不息。我眺

wàng yuǎn chù   lián nà hóng lǜ
望远处，连那红绿

dēng yě gēn wǒ zuò qǐ duì lái   yì
灯也跟我作起对来，一

zhí shì hóng dēng   bù guǎn tā le
直是红灯，不管它了，

gǎn shí jiān yào jǐn   wǒ gāng mài chū yì xiǎo bù   yí liàng qì chē jiù cóng wǒ shēn biān cā
赶时间要紧。我刚迈出一小步，一辆汽车就从我身边擦

guò   xià de wǒ gǎnmáng suō le huí lái   zhè shí   chūxiàn le yí wèi shēnchuān lǜ sè zhì
过。吓得我赶忙缩了回来。这时，出现了一位身穿绿色制

fú   zuǒshǒu bì dài yǒu yí gè lán sè de   dùnpái   tóu dài yì dǐng dài yǒu guó huī de dà
服，左手臂带有一个蓝色的"盾牌"，头戴一顶带有国徽的大

gài mào   yāo jiān hái pèi yǒu yí gè duìjiǎng jī de jiāotōngjǐng   tā kuài bù zǒu dào shí zì lù
盖帽，腰间还配有一个对讲机的交通警，他快步走到十字路

kǒu zhǐhuī qǐ lái   wǒ jìng xià xīn lái xì xīn guānchá le yí huì er   zhōng yú míngbái le tā
口指挥起来。我静下心来细心观察了一会儿，终于明白了他

shǒushì de yì sī   wǒ gēn jù tā de zhǐhuī ān quán de guò le mǎ lù   wǒ huí tóu wàng le
手势的意思。我根据他的指挥安全地过了马路。我回头望了

wàng lù zhōngyāng de jiāotōngjǐng   tā tóu shàng de guó huī   zài yáng guāng xià shǎn yào
望路中央的交通警，他头上的国徽，在阳光下闪耀

zhe guāngmáng   tā de dòngzuò shì nà me de piàoliang   gànliàn
着光芒。他的动作是那么的漂亮、干练。

jiāotōng jǐng jiān shǒu zài zì jǐ de gǎng wèi shàng wèi rén men dài lái ān quán tā
交通警坚守在自己的岗位上为人们带来安全，他
men de gāo shàng pǐn zhì nán dào bù zhí de wǒ men qù xué xí ma
们的高尚品质难道不值得我们去学习吗？

名师点评

　　在大城市冲，繁忙的交通要靠交通警来指挥。这样，车来车往才能有序，行人才能安全。这篇作文表述了交通警维持社会秩序的作用，赞扬他们的辛勤劳动。写自己过马路的一个实例，是为了表现得更实际一些。

我的弟弟

河北　刘静薇

wǒ lǎo yí jiā yǒu gè xiǎo bǎo bao tā dà míng jiào zhāng zhèng xiǎo míng jiào dà
我老姨家有个小宝宝，他大名叫张政，小名叫大
pàng yīn wèi tā tài pàng le bái bái de gē bo hé tuǐ bǐ nián huà shàng de pàng wá wa hái
胖。因为他太胖了，白白的胳膊和腿比年画上的胖娃娃还

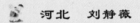

yào cū wǒ men zǒng xǐ huān jiào
要粗，我们总喜欢叫
tā dà pàng lín jū dà bó gān cuì
他大胖，邻居大伯干脆
jiào tā pàng pang
叫他胖胖。

xiàn zài dà pàng yǐ jīng
现在大胖已经11
gè yuè le huì jiào bà ba mā
个月了，会叫爸爸、妈
ma huì yáo tóu huì jǐ yǎn jing le
妈，会摇头，会挤眼睛了。

tā hěn ài xiào   xiào qǐ lái bù dà de yǎnjing mī chéng yì tiáoxiàn   kě ài jí le
他很爱笑，笑起来不大的眼睛眯成一条线，可爱极了。

dà pàng zǒu qǐ lù lái xiàng mù ǒu yí yàng zuǒ yáo yòu huàng de   tā kě ài de yàng
大胖走起路来像木偶一样左摇右晃的，他可爱的样

zi zǒng shì bǎ wǒ dòu de hā ha dà xiào   wǒ hěn xǐ huān tā
子总是把我逗得哈哈大笑，我很喜欢他。

 名师点评

小作者通过看图，写出了一个天真可爱的小男孩，尤其"左摇右晃"的描写真实生动。

 # 戏迷爷爷

 湖北 周 洲

yé ye shì wǒ men zhè yí dài yǒu míng de   piào yǒu   rú jīn shàng le nián jì
爷爷是我们这一带有名的"票友"，如今上了年纪，

zháo mí jìn er yī rán bù jiǎn dāng nián   bù guǎn shén me shí hòu   zuǐ lǐ zǒng hēng gè bù
着迷劲儿依然不减当年，不管什么时候，嘴里总哼个不

tíng bái liǎn de cáo cāo hóng liǎn de
停，白脸的曹操、红脸的

guān gōng hēi liǎn de zhāng fēi tā
关公、黑脸的张飞，他

zhāng kǒu jiù lái
张口就来。

yí cì   diàn shì shàng biǎo yǎn
一次，电视上表演

jīng jù xià shān jì   zhè xià yé ye
京剧《下山记》，这下爷爷

kě lái jìn le   ná qǐ tā de guǎizhàng   gēn diàn shì shàng de yǎn yuán yí kuài liàn qǐ lái
可来劲了，拿起他的拐杖，跟电视上的演员一块练起来。

zhè shí　yǎn yuán yí gè kōng fān　zhè xià kě cǎn le　zhǐ tīng dōng de yì shēng
这时，演员一个空翻，这下可惨了，只听"咚"地一声，

yé ye yí xià zǐ shuāi zài dì shàng　téng de tā zī yá liě zuǐ　bàn tiān zhàn bù qǐ lái
爷爷一下子摔在地上，疼得他龇牙咧嘴，半天站不起来。

xìng kuī bà ba mā ma zài jiā　lián máng zhāng luo zhe yé ye qù yī yuàn　kě yé ye hái zài
幸亏爸爸妈妈在家，连忙张罗着爷爷去医院，可爷爷还在

shuō　xì hái méi yǎn wán ne
说："戏还没演完呢……"

 名师点评

> 小作者想象非常丰富，发挥了充分合理的想象，把爷爷对戏的着迷劲儿表现得非常好。语言生动形象，情节设计生动有趣，是篇不错的作文。

出租车驾驶员

河北　冯笑

wǒ yǒu yí gè jiù jiu　tā shēn cái kuí wú　gè zi gāo gāo de　kuān dà de qián é
我有一个舅舅。他身材魁梧，个子高高的，宽大的前额，

bái xī de liǎn　yǎn jing jiǒng jiǒng yǒu shén
白皙的脸，眼睛炯炯有神。

jiù jiu shì yí gè chū zū chē jià shǐ yuán　suī rán shōu rù bù gāo　dàn tā chéng shí dài
舅舅是一个出租车驾驶员，虽然收入不高，但他诚实待

kè　cóng bù tān xiǎo　tā měi tiān jià shǐ zhe xiǎo jiào chē qù jiē sòng chéng kè　yǒu yí
客，从不贪小。他每天驾驶着小轿车去接送乘客。有一

cì　fā shēng le zhè yàng de yí jiàn shì
次，发生了这样的一件事。

xīng qī liù　wǒ yào dào shào nián gōng shàng kè　jiù dā chéng le jiù jiu de chē
星期六，我要到少年宫上课，就搭乘了舅舅的车。

zài lù shàng　yí wèi ā yí lán xià le chē　tā shuō zì jǐ yào dào fù xīng gōng yuán qù
在路上，一位阿姨拦下了车，她说自己要到复兴公园去，

yǒuyàoshì jiù jiu jiàn shùn lù biàn dā yìng le tā de qǐng qiú ràng tā zuò hòu miàn
有要事。舅舅见顺路，便答应了她的请求，让她坐后面，

sòng tā qù gōng yuán
送她去公园。

guò le yí huì er gōng
过了一会儿，公

yuán dào le nà wèi
园到了，那位

ā yí cōng cōng máng
阿姨匆匆忙

máng de xià le chē
忙地下了车，

jié guǒ bǎ bāo wàng zài
结果把包忘在

le chē shàng jiù jiu jiàn lǐ miàn shì liǎng wàn yuán rén mín bì jiù háo bù yóu yù de zhuī
了车上，舅舅见里面是两万元人民币，就毫不犹豫地追

xià le chē bǎ bāo hái gěi le shī zhǔ wǒ shuō jiù jiu shǎ sòng shàng mén de qián yě bù
下了车，把包还给了失主。我说舅舅傻，送上门的钱也不

yào kě tā què jiào yù wǒ shuō zhè shì bié rén de dōng xi wǒ men bù néng zhàn wéi
要，可他却教育我说："这是别人的东西。我们不能占为

jǐ yǒu jīn qián yīng gāi kào wǒ men de shuāng shǒu qù zhèng wǒ tīng le jiù jiu de nà
己有，金钱应该靠我们的双手去挣。"我听了舅舅的那

yǔ zhòng xīn cháng de huà yǔ hòu cán kuì de dī xià le tóu
语重心长的话语后惭愧地低下了头。

cóng cǐ wǒ gèng jué de jiù jiu bù jǐn shì yí wèi chèn zhí de jià shǐ yuán hái jù yǒu
从此，我更觉得舅舅不仅是一位称职的驾驶员，还具有

shí jīn bú mèi de hǎo pǐn dé
拾金不昧的好品德。

名师点评

司机要掌握好方向盘，这最重要的方向盘正是人生旅途中的方向。作文中所写的一位出租车司机，不正牢牢地把好了做人的方向盘吗？作文歌颂的不正是这种美德吗？

一个知错就改的少先队员

上海 杨宏斌

清晨，太阳露出了半个脸蛋，像一个没过门的羞答答的新媳妇。少先队员小明穿着蓝衣白裤跑出家门，就像一只出笼的小鸟一般。

他跑到一垛墙边，右手拿着粉笔，在墙上画了一个"马大哈"。瞧着"马大哈"那呆头呆脑的样子，小明忍不住"咯咯"地笑起来。正当他得意洋洋的时候，从远处传来沉重的脚步声，还夹杂着喊小明的声音。

小明回头一看，原来是同学王朋向他奔来。小明吓了一跳，王朋平时最讲卫生了，他要是看到了"马大哈"可怎么办呢？于是，他用背遮严了墙壁，这时王朋奔来，对小明说："去玩吧。"小明故作镇静回答："不去。"

小明心想我还是溜吧。于是，一转身，脚底生风，一溜烟的跑了。王朋在旁边喊了声："别跑，你身上有粉笔灰……"就追了上去。

guò le yī huì er　xiǎo míng pǎo
过了一会儿，小明跑
bú dòng le　bèi wáng péng yì bǎ
不动了，被王朋一把
zhuā zhù　wáng péng shuō　qiáo
抓住。王朋说："瞧
nǐ bèi shàng　jìng shì bái huī　yì
你背上，净是白灰。"一
biān shuō　yì biān bāng tā pāi dǎ
边说，一边帮他拍打
bái huī
白灰。

xiǎo míng gǎn dòng le　tā
小明感动了，他
shuō　xiè xiè nǐ　yǐ hòu wǒ bú
说："谢谢你，以后我不
luàn huà le　tā yòu pǎo dào　mǎ dà hā　gēn qián　jiāng tā　xiāo miè　le　cǐ
乱画了。"他又跑到"马大哈"跟前，将它"消灭"了。此
shí yáng guāng zhào zhe tā liǎ　nà huǒ hóng de hóng lǐng jīn zài yáng guāng xià xiàng shì yì
时阳光照着他俩，那火红的红领巾在阳光下像是一
tuán huǒ yàn zài rán shāo zhe
团火焰在燃烧着……

 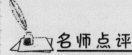 **名师点评**

　　几乎所有叙事类的看图作文均需作者发挥想象，补充一定
的细节或情节。

　　本文开头写太阳"像一个没过门的羞答答的新媳妇"，即是
想象之笔；其后对小明的神态、心理活动的描写，也是图画所
难以表现的；结尾更是寓意深远。想象可使故事情节具体、生
动，在看图作文中必不可少。

小胖子

江苏 钟洁

要问我哥哥？唉，他可是一个地地道道的小胖子：圆溜溜的大脑袋，虎头虎脑。再看他的眼睛，蕴涵着丰富多彩的表情：高兴时，眼睛眯成一条缝，

像一弯新月；伤心时，眼睛失去了往常的光彩，眼角往下耷拉着；哥哥的嘴巴，嘴角稍稍上翘，带着一丝笑容；最让人喜欢的是哥哥的手，软绵绵，肉乎乎的；手指上，一片片粉红色的指甲，显得小巧玲珑；手指下方，儿子各有五个深深陷下的窝，手背就像一只白白的小馒头。他那胖乎乎的可爱样儿，人见人爱。

记得有一次，哥哥和我回家时，正准备上楼时，我神秘兮兮地出了个鬼点子："哥哥，咱俩从一楼跑到三楼，——

kàn shuí xiān dào hǎo ma hēi méi wèn tí wǒ zhǔn yíng gē ge zhǎ zhǎ shuō
看 谁 先 到，好吗！"嘿，没 问 题，我 准 赢！"哥哥 眨 眨 说

dào wǒ xiān hǎn le shēng yù bèi pǎo biàn fēi yě shì de pǎo shàng lóu bù
道。我 先 喊 了 声："预 备——跑！"便 飞 也 似 地 跑 上 楼。不

yí huì er wǒ yǐ dào sān lóu huí tóu yí kàn ya gē ge zhèng qì chuǎn xū xu de
一会 儿，我 已 到 三 楼，回头 一 看，呀！哥哥 正 气 喘 吁 吁 地

shàng lái zhǐ jiàn tā de liǎn hóng hóng de é tóu hé bí zi qìn chū le jīng yíng de hàn zhū
上 来，只见 他 的 脸 红 红 的，额头 和 鼻 子 沁 出 了 晶 莹 的 汗 珠，

shuāng mù wú shén tā zhāng zhe zuǐ xiōng pú yì qǐ yì fú de kě yǐ kàn chū tā yǐ
双 目 无 神。他 张 着 嘴，胸 脯 一起 一 伏 的，可 以 看 出 他 已

shì jīng pí lì jié le wǒ duì gē ge dà shēng jiào dào xiǎo pàng zi nǐ yīng gāi jiǎn féi
是 精 疲 力 竭 了。我 对 哥哥 大 声 叫 道："小 胖 子，你 应 该 减 肥

le cái pǎo sān céng lóu tī jiù yào biàn chéng zhè zhǒng yàng zi zhēn lìng wǒ shī
了，才 跑 三 层 楼 梯，就 要 变 成 这 种 样 子，真 令 我 失

wàng gē ge yǒu xiē bù fú qì qì hū hū de shuō zhè cì bú suàn wǒ yǐ hòu pǎo
望！"哥哥 有些 不 服 气，气 乎 乎 地 说："这 次 不 算，我 以 后 跑

gè hǎo chéng jī gěi nǐ qiáo qiao
个 好 成 绩 给 你 瞧 瞧。"

zhēn xī wàng gē ge kuài diǎn shòu xià lái biàn de hé wǒ yí yàng líng qiǎo
真 希 望 哥哥 快 点 瘦 下 来，变 得 和 我 一 样 灵 巧。

  名师点评

　　"胖墩"兴许是对胖孩子的一种爱称。其实，胖会带来许多不便。作文的后半篇就是写胖是累赘，前半篇是描写哥哥的胖。通常描写胖是以身躯为主的。但是，这篇作文在表达上作出了另外的处理：着重描述他的一双手像白白的小馒头，因为肉多，手指下方还陷下了窝。那不是一双肥胖的手吗？手都这样肥胖，整个身躯就可想而知了。这种表现的方法，不是很有新意吗？

最美的人

沈阳 赵刚

孙老师长得一点也不美，淡淡的眉毛，黄黄的头发。她虽然年轻，但看上去却像40岁的人。

可是，一件突然发生的事，使我改变了对孙老师的看法。

一天下课后，我和同学们闹着玩，不小心摔倒了，我的手一下子按在烧得正旺的炉子上。

"哇——"随着我的哭声，炉子上顿时腾起一缕青烟，一股焦肉味充满了整个教室。我左手心上。一大块皮全都不见了，同学们都在一旁吓呆了。这时，随着"噔噔……"的脚步声，一个人急匆匆地过来抱起我，转身就向外走。我睁开泪眼一看，原来是孙老师。她吃力地抱着我，一阵小跑来到医生家。孙老师赶紧问："有什么办法

^{zhì ma} ^{yī shēng shuō} ^{shàng xiē huān zi yóu jiù huì hǎo xiē} ^{kě wǒ zhè er méi}
治吗?"医生说:"上些獾子油就会好些,可我这儿没

^{yǒu} ^{sūn lǎo shī tīng le} ^{jǐn suǒ de méi tóu shāo shāo shū zhǎn le diǎn}
有。"孙老师听了,紧锁的眉头稍 稍舒展了点。

^{dì èr tiān sūn lǎo shī kàn wǒ lái le} ^{tā shuō} ^{lǎo shī gěi nǐ dài yào lái le} ^{shuō}
第二天孙老师看我来了。她说:"老师给你带药来了。"说

^{zhe} ^{dǎ kāi bāo} ^{lǐ miàn yǒu yì píng huān zi yóu} ^{tàng shāng gāo} ^{hái yǒu táng guǒ}
着,打开包,里面有一瓶獾子油、烫伤膏,还有糖果、

^{shí pǐn děng} ^{tóng lái de tóng xué men shuō} ^{zhè dōu shì sūn lǎo shī mǎi de} ^{tā pǎo le}
食品等。同来的同学们说:"这都是孙老师买的,她跑了

^{xǔ duō dì fāng cái mǎi dào zhè yào de ne} ^{tīng le tóng xué de huà} ^{wǒ bí zi yì suān}
许多地方才买到这药的呢!"听了同学的话,我鼻子一酸,

^{yǎn jing shī rùn le} ^{sūn lǎo shī hái ān wèi wǒ shuō} ^{zài jiā hǎo hǎo yǎng zhe} ^{yǒu kòng wǒ}
眼睛湿润了。孙老师还安慰我说:"在家好好养着,有空我

^{lái gěi nǐ bǔ kè}
来给你补课。"

 名师点评

> 题目指的是内在美,也就是心灵美,更重要的是,这种先抑后扬(即欲扬先抑)的手法,牢牢吸引住读者,加强文章的艺术效果。

 # 爱中国的外国朋友

河北 赵利芳

^{shuō qǐ wài guó péng you} ^{hái zhēn qiǎo} ^{qián bù jiǔ zhēn yǒu yí duì hǎi wài yóu zi}
说起外国朋友,还真巧,前不久真有一对海外游子

^{lái wǒ jiā zuò kè} ^{nà shì wǒ de jiù jiu hé jiù mā} ^{dàn jiù mā shì měi guó rén}
来我家作客。那是我的舅舅和舅妈,但舅妈是美国人。

那天中午，我听见有人敲门，我开门时，却见一男一女正用外语交谈，见我开门，立即改用中文问我："这儿是叔叔的家吗？"只见那位女子高高的身材，长着一张圆圆的脸，一双蓝眼睛一闪一闪的，又高又直的鼻子，那张略微显大的嘴巴也说一口流利的中国话。她分明是外国人怎么会说中国话？正在我纳闷之际，外公从里面走来，立刻为我介绍："他是我哥哥的儿子，那位是他的太太，快叫舅舅、舅妈。"一会儿我们就熟悉了。我问："舅妈怎么会说中国话？"舅舅讲，她以前随父母在中国生活过，在上海复旦大学学汉语。毕业后，她跟父母回美国。可她心灵深处已对中国的灿烂文明产生了不泯之情。舅舅还告诉我，他大学毕业后，就去美国攻读博士学位。在异国他乡特别思念祖国和亲人，为了事业，一时又回不了国，只能把思乡之情搁在心底。就在此时生活中出现了一位中国通，后来，她就成了我的舅妈。"这次来上海主

要去华东师大讲学，特地来探望你们。让我太太过一中
国瘾。"舅舅兴奋地说，昨天，他们参加了上海一日游，
参观了南浦大桥、杨浦大桥、东方明珠电视塔和88层
高的金茂大厦，又看到市区造起了许多高楼和高架桥。他
们感叹万千地说："上海的变化真大啊！"

我见舅妈对中国有着那么深的眷恋，我也感动了。我
更应该为自己的祖国而感到自豪。

 名师点评

　　写外国人写些什么？当然，常免不了会去写一些他们的身
材、外貌；但，这不应该是主要的。这篇作文既写了在国外读
书的舅舅，对祖国的思念之情；又写了舅妈——一位外国朋友
对中国的热爱之情，这就不仅使作文内容有了新意而且还增添
了情趣。

表　妹

福建　陈　萍

　　梁好是我四姨的独生女儿，今年快四岁了。我第一次见
到她的时候，觉得这个名字有趣，就逗着问她："'良好'，
你为什么不叫优秀呀？"她一听，就扬起她胖乎乎、白嫩嫩

de xiǎo shǒu   juē zhe zuǐ   dèng zhe yǎn
的小手，撅着嘴，瞪着眼，
zhuāngchū lì hài de yàng zi duì wǒ shuō   wǒ
装出厉害的样子对我说："我
dǎ nǐ   dà jiā kàn zhe tā nà nù qì chōng
打你！"大家看着她那怒气冲
chōng de huá jī yàng   dōu rěn bú zhù hā ha dà
冲的滑稽样，都忍不住哈哈大
xiào qǐ lái
笑起来。

liáng hǎo zhǎng de hěn zhāo rén ài   shēn
梁好长得很招人爱。深
shēn de yǎn wō   cháng cháng de jié máo   yí
深的眼窝，长长的睫毛，一
duì hěn shén qì de shuǐ wāng wāng de dà yǎn jing
对很神气的水汪汪的大眼睛，
yí xiào qǐ lái mī chéng fèng   yì fā pí
一笑起来眯成缝，一发脾
qì dèng de xiàng gè xiǎo yuán qiú
气瞪得像个小圆球。

名师点评

小作者成功地描写了一个格外招人喜爱的小女孩，抓住了"表妹"的特征，语言生动，想象丰富，在小作者笔下，小"梁好"显得活泼可爱。

可爱的圣诞老人

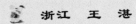浙江 王湛

xiǎo shí hòu   měi nián de shèng dàn jié   wǒ dōu néng dé dào wǒ zhāo sī mù xiǎng de
小时候，每年的圣诞节，我都能得到我朝思暮想的

礼物，但是我从来也没有看到过圣诞老人，因为妈妈说过："只有睡着的孩子，圣诞老人才会喜欢，才会给他送礼物。

他会把礼物轻轻地放在他的床上或是长袜子里。"

后来，我从图片上、电视里、妈妈的描述中知道了圣诞老人的模样：他戴着一顶红色滚着白边的绒帽，还缀着一个白色的绒球。他小小的眼睛，露出慈祥的光，一个大大的红色圆鼻子，因为留着又长又白的胡须，所以连老人的嘴也找不到了。他穿着红色的大棉袍，腰上系着黑皮带，脚蹬一双黑色的皮鞋，矮矮胖胖的样子挺可爱的。

他还背着一个鼓鼓囊囊的大布袋，里面放的都是小朋友喜欢的礼物。一到圣诞节，就骑着驯鹿或驾着雪橇来到小孩子的家门前，从烟囱里进来给小朋友送礼物。小朋友可喜欢他了。

长大后，我知道这只是个童话故事，不过，我还是挺希望那是真的。

小学生看图作文

名师点评

在孩子们的心目中。圣诞老人是最喜欢小朋友的，大家都希望能看到老人家，得到他给的礼物。但，那里能找到他呢？啊！想起来了：在图片上、电视里，不是有圣诞老人么。于是，就写下了头脑里浮现出来的圣诞老人的形象。全文的重点就是在描绘形象，体态、面容、服饰，还有那大家都向往着的、满装着礼物的大布袋。这些描述，把人们头脑里的那个圣诞老人的特点都表现出来了。

小 三 圆

青海 刘 强

我的小弟弟，今年一岁半。他长着圆圆的脑袋，圆溜溜的眼睛，圆圆的脸蛋，我们大院的人都叫他"小三圆"。

弟弟模仿能力可强了。

有一次，他看见妈妈舀饭，他也拿起勺子往碗里舀饭。你看他，胳膊撑得硬硬的，嘴巴闭得紧紧的，全身都使着劲

19

er   kànzhe tā de yàng zi   bǎ wǒmen quán jiā dōu dòu lè le
儿。看着他的样子，把我们全家都逗乐了。

名师点评

小作者通过看图描写了一个活泼可爱的小男孩，读后令我
们也要笑起来。

病中的张爷爷

浙江 吴紫薇

gé bì zhāng yé ye shēng bìng zhù yuàn le   wǒ hé mā ma gǎn qù tàn wàng tā
隔壁张爷爷生病住院了。我和妈妈赶去探望他。

zhāng yé ye tǎng zài bìng chuáng shàng   zhòu bā ba de liǎn shàng   yì shuāng wú
张爷爷躺在病床上，皱巴巴的脸上，一双无

shén de yǎn jīng lǎn lǎn de bàn zhēng bàn bì   liǎn sè là huáng   yuán lái tā huàn le dǎn shí
神的眼睛懒懒地半睁半闭，脸色蜡黄。原来他患了胆石

zhèng   dǎn náng yán jí xìng fā
症，胆囊炎急性发

zuò   zhù jìn le yī yuàn
作，住进了医院。

yì zhèn jù liè de téng tòng
一阵剧烈的疼痛，

shǐ tā rěn bù zhù dà shēng de jiào
使他忍不住大声地叫

huàn   é tóu shàng mào chū le dòu
唤，额头上冒出了豆

dà de hàn zhū   yī shēng gěi tā dǎ le zhǐ tòng zhēn   hái kāi le xiāo yán yào   gěi tā jìng
大的汗珠。医生给他打了止痛针，还开了消炎药，给他静

脉滴注，药水从输液架上挂着的瓶子里一滴一滴地缓缓地流入老人的手背静脉里。我和妈妈静静地陪伴在他身旁。

也许是刚才忍受了太多的痛苦，筋疲力尽的老人慢慢地睡着了。等他睁开眼睛，已经换上第三瓶点滴药水了。由于输了液感到尿急，就撑起身子挣扎着想下床，妈妈和我正想去扶他，医院的护理工见了，马上过来，让他躺下。她掀起被子一角，帮他抬起身子，塞进便壶。老人感激地点了点头，重新躺下输液。

"祝愿张爷爷早日康复。"望着被病魔折磨着的张爷爷，我默默地为他祝福。

 名师点评

> 写病人，当然要写"病态"和治疗的状况。作文中写张大爷的面容、体质、神态，病情发作时的情状和过后的疲劳的样子。病人的病症不一样，"病态"也不同。作文中的描写是符合张大爷的病情的。作文最后以祝愿张大爷早日康复结尾，表现了内心的关怀。

我是一个"迷"

 山西 王 杰

爸爸说我是"集卡迷"因为，我实在太喜欢卡了，我恨不得把全世界的小卡、大卡全都拿过来。

妈妈说我是个"动画迷"。寒假、暑假，我会把一个电视机包了。这是为什么呢？因为我整天都在看动画片。

表哥说我是个"小书迷"。因为我每一次见到同学有新书，比如《宠物小精灵》、《拳皇》、《龙珠》等等，都会叫爸爸妈妈买。

表姐说我是"玩儿迷"。你们别看我一本正经的，可我的内心却很贪玩。

你们说，我到底是什么迷呢？

名师点评

文章生动活泼，充满儿童情趣，也表现了生活的丰富多彩。

微笑的空中小姐

湖北 潘晶

去年暑假，我乘飞机去北京旅游。飞机上我留下最深刻印象的是空中小姐的微笑和服务。她清秀美丽，身材苗条，面带笑容，轻声细语，身穿白色的衬衫和宝蓝色的套裙，胸口别着一个小铜牌，写着她的工号。飞机起飞后不久，她开始忙碌起来了，为人们送食品及饮料。有位乘客不舒服了，头上直冒冷汗，还说头晕。她连忙跑来，仔细观察之后，马上提来一个医药箱，找出一盒药，取了两粒，又倒来一杯水递给那位乘客。乘客吃完药，空中小姐请他躺下，细心地为他盖上毯子，轻声对他说："好了，没事，安心休息吧，有事叫我。"那位乘客看着她微笑的脸庞，安心地笑了。周围的乘客们目睹这一过

chéng dōu bù zhù de diǎn tóu
程 都 不 住 地 点 头
chēngzàn
称 赞。

wǒ kànzhe tā máng lù de shēn
我 看 着 她 忙 碌 的 身
yǐng tīngzhe tā qīngqiǎo de jiǎo bù
影，听 着 她 轻 巧 的 脚 步
shēng hé róu shēng xì yǔ wǒ
声 和 柔 声 细 语，我
xiǎng tā men zhēn bù róng yì
想：她 们 真 不 容 易，
wèi chū mén zài wài de lǚ yóu zhě tí
为 出 门 在 外 的 旅 游 者 提
gòng yì liú de wēixiào fú wù ràng
供 一 流 的 微 笑 服 务，让
rénmen xiǎng shòu dào chūn tiān bān
人 们 享 受 到 春 天 般
de wēnnuǎn rénmen huì zànměi tā
的 温 暖，人 们 会 赞 美 她
men de
们 的。

名师点评

空中小姐服务的对象是顾客，介绍她们要着眼在描写服务态度上，包括提供各种物品，给旅客方便、舒适。作文中还叙述了一位旅客有病，怎样给他取药，服药，照顾他。作文在描写中，屡次写到空中小姐的笑貌和那柔声细语以及轻巧的脚步声，这是一项很重要的特色，体现了"一流的微笑服务"，使旅客感到春天般的温暖。

我长大了

河北 刘 清

星期五下午放学后，我拿出一元钱到车站等车。车到了，我就挤上车，买了票。车上很拥挤，我紧紧地抓住扶手。下车后，

我把售票员阿姨给我的票放进书包里，就开始往家里去。我走到马路口，先看红绿灯，再看两边的车子。就这样，我顺利地过了马路。

我很高兴，因为我可以自己回家了。

名师点评

文章通过两件事表现"我长大了"这一中心，并恰当运用动词"抓"、"看"，非常形象。

马虎的我

 江西 黄文文

上个星期六，奶奶正准备煮饭，突然发现家里的白菜用完了，奶奶就对我说："文文，你快到菜园里去拔两棵白菜，快点啊！""好啊！"我回答道，连忙向菜园跑去。

来到菜地，我拔起两棵白菜就飞快地往家里跑。我一边跑一边想：奶奶肯定会夸我了。快到家门口了，我大声叫道："奶奶，菜来了！"奶奶边从厨房出来边说："真快呀！"我上前将白菜交给奶奶，奶奶说："你怎么把没长好的拔回来了呢？我说你怎么这么快！"没长好？我仔细一看，呀！真没长好。

唉，你瞧，马虎的我又做错了一件事。

名师点评

小朋友将一幅简单的画面，用生动的语言向读者讲述了一个有趣的故事。故事情节完整，叙述得有条不紊。

郭老师的眼睛

四川 陈俊安

guōlǎoshī de yǎnjing kàn qǐ lái méi shénme tè bié de kě guōlǎoshī de yǎnjing huì
郭老师的眼睛看起来没什么特别的，可郭老师的眼睛会

shuōhuà yí cì shàngkè wǒ
说话。一次上课，我

kànjiàn zhuōzi shàng de nà kuài
看见桌子上的那块

xiàng pí shǒu bù yóu de mō le
橡皮，手不由得摸了

mō zhèngqiǎo bèi guōlǎoshī de
摸，正巧被郭老师的

yǎnjing fā xiàn le tā hǎoxiàng
眼睛发现了，它好像

zàishuō chénfāng zěnme
在说："陈芳，怎么

zuò xiǎo dòng zuò wǒ yí kàndào guōlǎoshī de yǎnjing shǒu mǎshàng jiù bú dòng le
做小动作？"我一看到郭老师的眼睛，手马上就不动了。

yí cì lǎoshī zài ménkǒu tóng jiāzhǎng shuōhuà tóngxué men chǎo le qǐ lái
一次，老师在门口同家长说话，同学们吵了起来，

guōlǎoshī zhuǎnguò shēn yòng yǎnjing kànkan wǒmen nà yǎnjing hǎoxiàng zài shuō
郭老师转过身，用眼睛看看我们。那眼睛好像在说：

nǐ men zěnme shuōhuà le jiàoshì lǐ mǎshàng biàn de yā què wú shēng
"你们怎么说话了？"教室里马上变得鸦雀无声。

měi cì jiàn dào guō lǎo shī   wǒ dōu yào xiān kàn kàn tā de yǎn jing   kàn tā yòu yào
每次见到郭老师，我都要先看看她的眼睛，看它又要

gào sù wǒ shén me
告诉我什么。

名师点评

文章通过几个方面写出了老师的那双会说话的眼睛给我的
教育，结尾令人深思。

燕　妹

江苏　张　慧

wǒ de mèi mei jiào xiǎo mǐ   kě qīn lín men gěi tā sòng le wài hào jiào   xiǎo yàn
我的妹妹叫小米，可亲邻们给她送了外号叫"小燕

zi   zhè gè wài hào yuán xiān duì tā shì gè bù gōng de chēng hū   dào hòu lái què biàn
子"。这个外号原先对她是个不恭的称呼，到后来却变

chéng le xǐ ài de jiào fǎ le   wǒ gèng yǒu zhè yàng de gǎn jué   qǐ chū   wǒ hǎn tā xiǎo
成了喜爱的叫法了。我更有这样的感觉。起初，我喊她小

mǐ   hòu lái hǎn   yàn zi   zài hòu lái yù dào tā huò jiào tā gàn diǎn shén me shí   zǒng
米，后来喊"燕子"，再后来遇到她或叫她干点什么时，总

shì qīn nì de xiān hǎn yì shēng   yàn mèi
是亲昵地先喊一声"燕妹"。

ruò yào wèn qǐ qí zhōng de yuán gù   hái de cóng tóu shuō qǐ
若要问起其中的缘故，还得从头说起。

mèi mei   suì   yǐ dú sān nián jí le   wǎng cháng tā duì xué xí shì jí bù rèn zhēn
妹妹9岁，已读三年级了。往常她对学习是极不认真

de   chéng tiān hào shuō hào xiào hào wán   cóng bù bǎ xué xí fàng zài xīn shàng   gèng
的，成天好说好笑好玩，从不把学习放在心上。更

shǐ rén tǎo yàn de shì tā ài chàng liú xíng gē qǔ   zǒu dào nǎ chàng dào nǎ   jiù lián biān chī
使人讨厌的是她爱唱流行歌曲，走到哪唱到哪，就连边吃

fànshíháiyàochàng shǒu lǐ ná zhe jiān bǐng yě yào yí miàn chī yí miàn chàng nà
饭时还要唱，手里拿着煎饼，也要一面吃一面唱，那

xiǎoshǒuháibù zhù de biǎoyǎndòngzuò yǒushíguàiqiāngguàidiào de jì bù hé jié pāi
小手还不住地表演动作。有时怪腔怪调的，既不合节拍，

yě bú shùndiàomén yǒushí jǐ zhī gē chān he zài yì qǐ chàng jiǎn zhí shì luàn lái qiāng
也不顺调门：有时几支歌掺和在一起唱，简直是乱来腔。

zhì yú tā de xué xí gèng bú yòngshuō le zuò yè mǎ hu cuò tí yí dà duī chéng
至于她的学习，更不用说了。作业马虎，错题一大堆，成

jì shì dàoshù jǐ míng měitiānfàngxuéhuí jiā tā yě cóng bú zuòzuò yè huò fù xí gōng
绩是倒数几名。每天放学回家，她也从不做作业或复习功

kè bǎ shūbāowǎngzhuōshàng yì rēng jiù yí bèng yí tiào de pǎochū qù le zhǐyào
课，把书包往桌上一扔，就一蹦一跳地跑出去了。只要

tā yì chūmén nǐ jiù biéxiǎngzhǎodào tā lín jū mendōushuō xiǎo mǐ zhēnxiàng
她一出门，你就别想找到她。邻居们都说："小米真像

yì zhī xiǎoyàn zi qí shí zhè shì duì tā de
一只小燕子。"其实，这是对她的

yì zhǒngfěng cì yǒushí wǒ chū qù dà hǎn tā
一种讽刺。有时我出去大喊她

shí sǎo zi hé dà niángmen jiù shuō xiǎoyàn
时嫂子和大娘们就说："小燕

zi yòu fēi le wǒ zhǐ hǎo kǔ xiào zhe diǎn
子又飞了？"我只好苦笑着点

diǎntóu
点头。

xīnxué qī kāishǐhòu xuéxiào lǐ kāizhǎn
新学期开始后，学校里开展

zhǎochā jù jiàn xíngdòng de huódòng
"找差距，见行动"的活动。

wǒxiǎng bùguǎnzhǎnkāishénme yàng de huódòng yě gǎibiàn bù liǎo wǒ nà yàn
我想：不管展开什么样的活动，也改变不了我那"燕

zi mèimeide pí qì
子"妹妹的脾气。

yì tiānwǎnshàng mèimeifàngxuéhuí jiā hòuwǒréngránxiàngwǎngcháng yí yàng
一天晚上，妹妹放学回家后我仍然像往常一样

dīngzhe tā bú ràng tā zài fēi le kě chū hū wǒ de yì liào tā jìng rán bù
盯着她，不让她再"飞"了。可出乎我的意料，她竟然不

"飞"了。只见她把书包一放，坐下来摊开书本，补习起了以前没有学好的功课。我想：这一定是在学校里挨了批评，老师罚她的。这下可替我出口气了！我在一旁得意地问："燕子，今天怎么不'飞'了？"她没理我。最初的两三天我不觉得奇怪，以后的十几天她依然这样，我就感到有些漠然了。

更为奇怪的是，她这个全班倒数几名的学生，现在竟能帮助别的同学学习了。

一天，她放学回家后，连饭也没吃，就又跑出去了。我一直等到天黑，还没见她回来我以为她的"老病"又复发了，就跑到邻居小红家去找她。当我走进小红家的大门时，只听见从屋里传来"ɑ、o、e……"的声音。我听声音是那样的熟悉。原来妹妹在帮小红学习汉语拼音。此时，我一肚子的"火"顿时消失了，转身朝自己家里走去，心想："燕子"再也不乱"飞"了。

最近，在学校里举行"学赖宁"活动的评奖大会上，妹妹被评为"勤奋学习"的标兵，并作了专题发言，介绍经验哩。这真是"浪子回头金不换"！至于妹妹为什么会转变得这么快，不用我说，你一定明白了吧。

wǒ ài wǒ de mèimei　bìngyuè fā ài hǎn　yànmèi　le
我爱我的妹妹，并越发爱喊"燕妹"了。

名师点评

　　这篇文章的最大特点是在写作时，既注意了对图意的正确理解，又充分地发挥了尽可能丰富的想象和联想。将与这幅图内容相关，而图中又并未表现的东西，细致地交代了出来，用来衬托出图上的情景，使文章的主题和图中的意思得到了更深入、准确的表达。

我的爸爸妈妈

湖南　胡汉华

yào shuō bà ba　　tā jiào zi yǒu
要 说 爸爸，他 教子有
fāng　píng shí　tā duì wǒ guǎn de kě
方。平时，他 对我 管 得可
yán la　jìn guǎn tā de gōng zuò hěn
严 啦！尽管 他 的 工作 很
máng　dàn duì wǒ de xué xí shí fēn guān
忙，但对我的学习十分关

xīn　rú guǒ wǒ yǒu jìn bù　tā liǎn shàng jiù lè hē he de　rú guǒ wǒ fàn cuò wù le　bà
心。如果我有进步，他 脸 上 就乐 呵呵的，如果我犯错误了，爸
ba bú xiàng bié rén yí yàng dǎ mà wǒ　ér shì nài xīn de gěi wǒ jiǎng dào li　bǎ wǒ shuō de
爸不 像 别人一 样 打骂我，而是耐心地给我讲道理，把我说得
xīn fú kǒu fú
心服口服。

wǒ de mā ma yí kàn biàn zhī dào shì gè xīn de shàn liáng　xìng qíng wēn hé de rén
我的妈妈一看便知道是个心地善 良、性情温和的人。

píngshí   tā zuǐjiǎo méishāo zǒng dài wēixiào   tā dàirén rè qíng   lè yú zhùrén   yě shì
平时，她嘴角眉梢 总带微笑，她待人热情，乐于助人，也是

zhòngsuǒzhōuzhī de   fù jìn lín jū méiyǒu yí gè bù hé tā qīn jìn
众 所周知的，附近邻居没有一个不和她亲近。

 名师点评

小作者能写出爸妈的各自特点，一个教育有方，一个善良温和。表达了对父母的理解和爱。

画画的老爷爷

四川 刘倩

jì de yǒu yí cì   wǒ qù gōngyuán wán   bù zhī bù jué wǒ zǒudào le yí gè qīngjìng
记得有一次，我去公园玩。不知不觉我走到了一个清静

de dì fāng   zhèshí wǒ kànjiàn yí wèi lǎo yé ye yì shǒu ná zhe yì zhī qiān bǐ   yì shǒu fú
的地方，这时我看见一位老爷爷一手拿着一支铅笔，一手扶

zhe yí kuài huàbǎn   duìzhe yí dà piàn de shù lín   zhèngzài huàhua ne   wǒ hěn hào qí
着一块画板，对着一大片的树林，正在画画呢！我很好奇，

biàn zǒu le guòqù
便走了过去。

dào le zhè wèi lǎo yé ye de shēn páng   wǒ jiào le yì shēng   lǎo yé ye   nín
到了这位老爷爷的身旁，我叫了一声："老爷爷，您

hǎo   kě tā tóu yě bù huí   yě bù dā yìng wǒ yì shēng   hái shì zhuān xīn zhì zhì de huà
好！"可他头也不回，也不答应我一声，还是 专 心致志地画

zhe   wǒ kànzhe tā   shǒu ná huà bǐ   shénqíng hěn yán sù   bí zi lǐ fā chūjūn yún de
着。我看着他：手拿画笔，神情很严肃，鼻子里发出均匀的

hū xī shēng   tā yí huì er níngshì měi lì de fēngjǐng   yí huì er mù bù zhuǎn jīng de zhù
呼吸 声。他一会儿凝视美丽的风景，一会儿目不 转 睛地注

shìzhe huàbǎn   jù jīng huì shén de bǎ zì jǐ kàndào de quán bù miáo huì xià lái   tā de
视着画板，聚精会神地把自己看到的全部描绘下来。他的

手总是在发着抖，大概是年老的缘故吧！这位老爷爷每画完一处地方，仔细端详后，就用橡皮擦去一点，再重新画。有时，他甚至把整幅图都擦了。那些细小的地方，老爷爷画起来就更仔细了，他眯起眼睛、皱紧眉毛，认真地画着，画完了擦，擦了再画。老爷爷就是这样，总觉得自己画得不好，希望下一次能画得更好。

老爷爷就是凭着这股韧劲把画完成的。他对自己真严格呀！

 名师点评

认真、执著、一丝不苟，是学习和工作成功的要素。作文中描述的画画的老爷爷正是一位具有这样素质的人。作文多次描写了老爷爷画好、擦去、再画、再擦去、甚至全部擦去。重起炉灶。老爷爷从不满足自己现有的水平，他的追求无止境，这需要多大的韧劲。作文写得很具体。把老爷爷的这种执著追求的精神全表现了出来。

我的姥爷

河北 刘婧

姥爷今年已经62岁了，但别人都说他长得很年轻，因为他一根白头发都没有。

姥爷很勤劳，每天早上很早就起床，到早市去，把家里一天要吃的菜买回来，开始做早饭。姥爷会做许多小菜，我和妈妈每次到姥爷家都吃得很多、很香。上学后，每天都是姥爷送我上学，接我回家。

姥爷出差时，我很想念他，我把姥爷的照片拿出来放在书桌上，每天都要看几次。姥爷终于回来了，我的心里乐开了花，像过年一样高兴。

名师点评

文章写出了"我"对姥爷的感激、思念，结构合理，朴素的文字透出真情。

举重冠军

浙江 李何军

在运动会上，总少不了比赛。我国的轻、重量级举重运动员在世界举重大赛上，格外引人瞩目。

举重比赛开始了，走上赛场的是一位我国著名的重量级运动员，只见他的体格威武、雄健，虽不高大，但浑身肌肉线条清晰，走起路来一步一顿，仿佛大地在他的脚下震动。特别是在走上比赛场的时候，每一步都是那么的有力，充满信心。

当他站定到赛台中央时，像一座铁塔一样，纹丝不动。自信的目光注视着横躺在前面的杠铃。短短的脖子，宽厚的臂膀边两条粗壮的手臂有力地伸向两边。腿像两条铁柱，微微分开，牢牢地钉在地上。他

de shén qíng shǐ rén gǎn dào qiáng dà de lì liàng huì
的 神 情 使人感到 强 大 的 力 量 会

xiàng huǒ shān yí yàng jí jiāng bào fā jǐn jiē zhe
像 火 山 一 样 即 将 爆 发。紧 接着

tā wān yāo shēn bì shuāng shǒu jǐn jǐn de zhuā
他 弯 腰 伸 臂, 双 手 紧 紧 地 抓

quán shēn de jī ròu yí kuài yí kuài de tū xiǎn qǐ
全 身 的 肌 肉 一 块 一 块 地 凸 显 起

lái fǎng fú néng gòu tīng jiàn gē gē de
来, 仿 佛 能 够 听 见 "咯 咯" 的

shēng xiǎng guān zhòng de hū xī sì hū dōu tíng
声 响, 观 众 的 呼 吸 似 乎 都 停

zhǐ tū rán yì gǔ qiáng dà de lì liàng pēn yǒng ér chū gàng líng qīng qiǎo de lí dì ér
止, 突 然 一 股 强 大 的 力 量 喷 涌 而 出, 杠 铃 轻 巧 地 离 地 而

qǐ jiù zài zhè yí shùn jiān rén men dùn shí huān hū què yuè
起, 就 在 这 一 瞬 间, 人 们 顿 时 欢 呼 雀 跃。

 名师点评

　　怎样写举重运动员？小作者选择了比赛的场面，写一位著名运动员参赛的全过程。但又怎样写全过程的呢？上场、亮相、准备、举起，这些环节，哪能都一一细写呢？而且也没这必要。作者很巧妙地抓住"力"的表现来写，使人自始至终都感受到是力量的较量。

记事篇

打老鼠

广西 黄彬

yǒu tiān wǎn shàng　wǒ zhèng zài jiā lǐ kàn diàn shì　tū rán tīng jiàn　zhī zhī　de
有天晚上，我正在家里看电视，突然听见"吱吱"的

jiào shēng　huí tóu yí kàn　yuán lái shì yì zhī lǎo shǔ　bà ba xiǎo shēng duì wǒ shuō
叫声，回头一看，原来是一只老鼠。爸爸小声对我说：

kuài bǎ mén chuāng guān qǐ lái　wǒ gǎn jǐn guān hǎo mén chuāng　ná qǐ zhú gān
"快把门窗关起来！"我赶紧关好门窗，拿起竹竿，

bà ba hé biǎo gē yě ná qǐ gùn
爸爸和表哥也拿起棍

zi hé sào ba　lǎo shǔ tiào
子和扫把。老鼠跳

dào chuáng shàng　wǒ gǎn
到床上，我赶

kuài yòng lì dǎ xià qù　xià
快用力打下去，吓

de tā táo dào chuāng páng
得它逃到窗旁。

wǒ yòu fēi kuài de pǎo guò qù　bú liào yǎn zhēng zhēng de kàn zhe lǎo shǔ pǎo dào shā fā dǐ
我又飞快地跑过去，不料眼睁睁地看着老鼠跑到沙发底

xià　bà ba hé biǎo gē bān kāi shā fā　lǎo shǔ yòu cuàn dào chuáng jiǎo xià　bà ba yī gùn
下。爸爸和表哥搬开沙发，老鼠又窜到 床 脚下，爸爸一棍

zi dǎ xià qù　jiù bǎ lǎo shǔ dǎ yūn le　wǒ hé biǎo gē gǎn kuài bǎ lǎo shǔ dǎ sǐ
子打下去，就把老鼠打晕了，我和表哥赶 快把老鼠打死。

 名师点评

　　小作者写打老鼠的过程当中，一连串的动词用得好，简直有点惊心动魄。语言细致、流畅，整个事情讲述的生动有趣，耐人寻味。

包饺子

 河北　肖风文

zhōng wǔ　mā ma duì wǒ shuō　zán men jīn tiān bāo jiǎo zi　hǎo ma　wǒ gāo
中 午，妈妈对我说："咱们今天包饺子，好吗?"我高

xìng de shuō　　xíng　wǒ lái duò xiàn　wǒ bǎ xiù zi xiàng shàng wǎn le wǎn
兴地说： "行，我来剁馅。"我把袖子向 上 挽了挽，

shuāng shǒu wò zhù cài dāo　zài cài bǎn shàng hěn rèn zhēn de duò le qǐ lái　mā ma zài
双 手握住菜刀，在菜板 上 很认真地剁了起来。妈妈在

pángbiān he miàn　bù yí huì
旁 边和面。不一会

er　wǒ jiù lèi le　wǒ wāi
儿，我就累了。我歪

zhe tóu　kàn le kàn mā ma
着头，看了看妈妈，

tā hái zài rèn zhēn de he zhe
她还在认 真地和着

miàn　wǒ yòu dī xià tóu wú
面，我又低下头无

lì de duò zhe　gāng cái de xìng qù bù zhī shén me shí hòu yǐ pǎo de wú yǐng wú zōng le
力地剁着， 刚才的兴趣不知什么时候已跑得无影无踪了。

wǒ duì māma shuō　　 nín zì jǐ gàn ba　　 wǒ yào xiē huì er le　　 māma yán sù de shuō
我对妈妈说："您自己干吧，我要歇会儿了。"妈妈严肃地说：

wú lùn zuò shén me shì　 dōu yào jiān chí dào dǐ　 bù néng bàn tú ér fèi　 chéng gōng shǔ
"无论做什么事，都要坚持到底，不能半途而废，成功属

yú nà xiē yǒu yì lì de rén　 wǒ tīng le māma de huà　 yòu yòng xīn de duò le qǐ lái
于那些有毅力的人。"我听了妈妈的话，又用心地剁了起来。

yí huì er　 xiàn hǎo le　 māma kàn zhe wǒ　 mǎn yì de xiào le　 jīn tiān de jiǎo zi tè bié
一会儿，馅好了，妈妈看着我，满意地笑了。今天的饺子特别

xiāng　 yīn wèi wǒ cóng zhōng gǎn shòu dào le chéng gōng de xǐ yuè
香，因为我从中感受到了成功的喜悦。

 名师点评

> 　　文章对人物的行为举止描写得具体细致，目的在于教育我们"无论做什么事，都要坚持到底，不能半途而废"，语言流畅。

滚铁环

刘君

wǒ men jiào shì hòu miàn yǒu yí gè dà
我们教室后面有一个大

cāo chǎng　 dà jiā dōu ài zài nà li gǔn
操场，大家都爱在那里滚

tiě huán
铁环。

yì tiān fàng xué hòu　 wǒ hé huáng jīn
一天放学后，我和黄金

huá tóng xué yòu qù gǔn tiě huán　 wǒ men
华同学又去滚铁环。我们

lái dào cāo chǎng shàng　　 tā shǒu xiān bǎ
来到操场上，他首先把

tiě huán fàng zài gǔn gǎn de xià duān　　rán hòu jiù yì liū yān de gǔn qǐ lái　　tiě huán xiàng
铁环 放在滚杆的下端，然后就一溜烟地滚起来。铁环 像

chē lún yì bān wěn wěn dāng dāng de zhuàn zhe
车轮一般稳稳当当地转着。

　　huáng jīn huá tóng xué gào sù wǒ　　tiě huán fàng xià qù de shí hòu　　bù néng wāi
　　黄金华同学告诉我，铁环 放下去的时候，不能歪，

yì wāi jiù yào dǎo le　　zài zhuǎn wān de shí hòu　　tiě huán yào jí sù xià chén　　dàn bù
一歪就要倒了。在 转 弯的时候，铁环 要急速下沉，但不

néng wán de luò dì　　zài kuài pèng dào zhàng ài de shí hòu yào jí sù zhuǎn wān　　tā hái
能 玩得落地，在快 碰 到 障 碍的时候要急速 转 弯。他还

gào sù wǒ　　gǔn tiě huán kě yǐ duàn liàn shēn tǐ hé yì lì
告诉我：滚铁环可以 锻 炼身体和毅力。

　　a　　yuán lái gǔn tiě huán hái yǒu zhè me duō yì chù　　wǒ jīn bù zhù shuō　　jīn
　　"啊！原来滚铁环 还有这么多益处。"我禁不住 说："金

huá　　ràng wǒ yě shì shì ba　　tā diǎn diǎn tóu　　bǎ tiě huán hé gǔn gǎn dì gěi le wǒ
华，让我也试试吧？"他点 点 头，把铁环和滚杆递给了我。

wǒ àn zhào tā jiāo wǒ de fāng fǎ gǔn tiě huán　　guǒ rán　　tiě huán hái zhēn tīng shǐ huàn
我按照他教我的方法滚铁环。果然，铁环 还 真 听使唤，

wǒ yì lián gǔn le wǔ quān cái tíng shǒu
我一连滚了五 圈才停手。

　　huí jiā de lù shàng　　wǒ xiǎng　　wǒ zì jǐ dòng shǒu zuò yí gè tiě huán　　hái děi zuò
　　回家的路上，我想，我自己动 手做一个铁环，还得做

yì gēn piào liang de gǔn gǎn
一根 漂 亮的滚杆。

 名师点评

　　　游戏也有窍门。这窍门在作文中怎样表述出来的？既可以
用作者的口吻一五一十地讲述；也可以在游戏过程中，边玩边
说明。作文中是用第一人称来讲述，这个方式显得很自然。

紧张的障碍赛跑

辽宁 傅媛媛

今天天气格外好，晴空万里，阳光明媚。同学们站在操场跑道边，等待着一场紧张的比赛——400米障碍赛跑。

你瞧，小强和小明正在做准备活动呢！小强在压腿，小明在弯腰。做完准备活动，他们来到各自的跑道上。随着一声清脆的哨音，他俩就像离弦的箭，冲出了起跑线。

"加油！加油！"同学们高喊着为他俩鼓劲。

不一会儿，小强就跑到前头去了。只见小强前腿一抬，后腿一蹬，犹如一只轻盈的燕子，轻松地跨栏，小明如影随

形，紧紧地跟着小强。两人一前一后，你追我赶。

全场报以热烈的掌声和喝彩声。这时，小强的速度渐渐地慢下来。两人气喘吁吁，几乎都跑不动了。小明的额头流下了豆粒大的汗珠，但他咬紧牙关，凭着顽强的毅力继续坚持。

"加油！"小明班上的同学们齐声呐喊。

现在他俩已进入最后的几十米冲刺了。他们使出九牛二虎之力，奋力向终点跑去。场外的同学两眼紧盯着他俩的身影，有的紧握拳头，好像比他俩还要紧张。

决战的时刻来临了，只见小明猛地加速，超出了小强。10米、8米、5米……啊！小明终于第一个到达终点。

操场上响起了一阵欢呼，比赛在热闹的气氛下结束了。我们紧张的心情也慢慢地平静下来了。

 名师点评

体育比赛，它最突出的一个特点就是激烈而紧张。写作文要表现出这情景——激烈、紧张。有些是你追我赶，分秒奇争；有些是相持不下，寸土必争等等。其间，往往又会有变化。胜利是最后的结果。这篇作文就写了这情景，包括运动员的表现和群众的情绪。

送　花

内蒙古　张　婧

jīn tiān zǎo shang   xiǎo lán hěn zǎo
今天早上，小兰很早
jiù qǐ chuáng le   xīn xiǎng   jīn tiān shì
就起床了，心想：今天是
jiào shī jié   wǒ yào gěi lǎo shī yí gè jīng
教师节，我要给老师一个惊
xǐ   sòng lǎo shī yí gè lǐ wù ba
喜，送老师一个礼物吧！

xiǎo lán bèng bèng tiào tiào de lái dào
小兰蹦蹦跳跳地来到
cǎo píng shàng   a   zhè li de huā zhēn
草坪上。啊！这里的花真
duō   zhēn piào liang ya   lǎo shī xǐ huān
多、真漂亮呀！老师喜欢

nǎ zhǒng ne   zhè duǒ huáng huā hěn xiàng xiàng rì kuí   lǎo shī yí dìng huì xǐ huān   nà
哪种呢？这朵黄花很像向日葵，老师一定会喜欢；那
duǒ lán huā yě hěn piào liang
朵蓝花也很漂亮……

tā lái dào wáng lǎo shī chuāng qián   yí kàn   lǎo shī bú zài   zhǐ jiàn lǎo shī de yǎn
她来到王老师窗前，一看，老师不在，只见老师的眼
jìng hái fàng zài zhuō shàng   páng biān de hóng mò shuǐ píng de gài er hái dǎ kāi zhe   xiǎo
镜还放在桌上，旁边的红墨水瓶的盖儿还打开着。小
lán xiǎng   lǎo shī zhēn xīn kǔ ya   tā bǎ shǒu zhōng de huā xiǎo xīn yì yì de chā jìn dì qiú
兰想，老师真辛苦呀！她把手中的花小心翼翼地插进地球
yí páng biān de bǐ tǒng lǐ   lián bèng dài tiào de huí dào jiào shì qù le
仪旁边的笔筒里，连蹦带跳地回到教室去了。

名师点评

文章通过小兰送花这件事，不仅体现了她尊敬师长的美好心灵，还从"眼镜"、"红墨水瓶的盖儿还打开着"等话语中，体现了老师的可贵精神。

放烟火

湖南 杨安娜

wěiwei tóng bàba yì qǐ zài yuàn zi lǐ fàng yānhuǒ　　bàba diǎnrán le dǎohuǒxiàn
伟伟 同 爸爸 一起 在 院 子 里 放 烟火。爸爸 点燃 了 导火线，

zhǐtīng　　sī　de yì shēng　　yānhuǒ téng kōng ér qǐ　　pēn chū hóng de　huáng de
只听 "嗞" 的 一声，烟火 腾空 而起，喷出 红的、黄的、

yín de gè zhǒng yán sè de huǒ huā　　wěiwei rǎng zhe yào zì jǐ fàng　　tā cóng bàba shǒu
银的 各 种 颜色的 火花。伟伟 嚷着 要 自己 放。他 从 爸爸 手

zhōng ná guò yì zhī diǎn rán de xiāng　　pèng le　yí xià fàng zài dì shàng de huǒ jiàn yānhuǒ
中 拿过 一支 点燃的 香，碰了 一下 放在 地 上 的 火箭 烟火

de dǎo huǒ xiàn　　huǒ méi diǎn
的 导火线，火 没 点

zháo　　yānhuǒ tǒng què bèi zhuàng
着，烟火 筒 却 被 撞

dǎo le　　wěiwei fú zhí le yānhuǒ
倒了。伟伟 扶直了 烟火

tǒng　　cè zhe shēn zi bàn dūn zhe
筒，侧着 身 子 半 蹲着，

yì shǒu bǎ diǎn rán de xiāng màn
一手 把 点燃的 香 慢

màn de　shēn dào dǎo huǒ xiàn
慢地 伸到 导火线

shàng
上。导火线咝咝一响，伟伟赶紧缩回手，朝爸爸那儿奔

qù háiméizhuǎnshēn pā de yì shēng huǒjiàn zài kōngzhōngbàozhà le fēi chū
去，还没转身，啪的一声，火箭在空中爆炸了，飞出

le yí gè báidiǎn suífēngpiāoluò yuán lái shì yí gè xiǎojiàngluòsǎn wěiwěihuíguò
了一个白点，随风飘落，原来是一个小降落伞。伟伟回过

tóu lái xiǎojiàngluòsǎn yǐ wěnwěnluò le de bà ba xiàozheshuō zhèzhēnshìmíng
头来，小降落伞已稳稳落了地。爸爸笑着说："这真是名

fù qí shí fàng le yānhuǒgěibiérénkàn
副其实'放了烟火给别人看'。"

名师点评

放烟火是孩子们既喜欢又较害怕的活动。作文就是抓住了这个特点来写的，显得逼真而有趣。

爬攀登架

刘 茜

jīn tiān   tǐ yù kè shàng   tǐ yù lǎo shī xuān
今天，体育课上，体育老师宣

bù liàn xí pá pān dēng jià   wǒ xià le yí dà tiào   yīn
布练习爬攀登架。我吓了一大跳，因

wèiwǒkànjiànguòbiérén pá dàn zì jǐ quècóngméi
为我看见过别人爬，但自己却从没

pá guò wǒzhèngxiǎngkàn lǐ lǎoshīxuān bù pān
爬过。我正想看，李老师宣布攀

dēngkāishǐ
登开始。

zhōng yú lún dào wǒ le   wǒ gǔ zú yǒng qì   liǎng shǒu jǐn jǐn lā zhù héng gān
终于轮到我了。我鼓足勇气，两手紧紧拉住横杆，

两腿用力地蹬着，费了九牛二虎之力，才爬上顶端。这时，我累得呼呼直喘气。接下来要翻过顶端的横杆，从另一面下去。这可把我难住了，我的心"怦怦"直跳。我小心地抬起右脚，可因为抖得太厉害，只得放下。我试了几次都没敢跨过去。正在这时，耳边传来同学们为我加油的声音"加油！刘茜，你能行的!"这声音给了我力量，给了我信心。我看了看横杆，心想今天我一定要征服你。于是，我深吸了一口气，双手紧紧握住横杆。身体向前一侧，毅然抬起左脚，向对面的横杆跨去。成功了！可我丝毫不敢放松，慢慢地把重心从右脚移到左脚，跟着右脚也跨了过去。"好!"在同学们的欢呼声中，我轻松地爬了下来。

通过这次攀登，我懂得一个道理：做任何事，只要有信心，就一定能成功！

 名师点评

写活动，要写其中关键的一环。爬攀登架，最害怕的是翻越顶端的横杆。作者正是抓住了这一环来写的：开始时很紧张，过不去；之后，双手握紧身体斜侧，先跨左脚，再跨右脚，一步步地写，这才能写得具体不空洞。

雪后的校园

河北　石姗姗

xuě hòu de xiào yuán jì měi lì yòu huān lè
雪后的校园既美丽又欢乐。

kàn　nà bǐ zhí de shuǐ ní lù shàng yǐ gài shàng le　yì tiáo cháng cháng de bái dì
看，那笔直的水泥路上已盖上了一条长长的白地

tǎn　nà me chún jié　nà me jīng yíng　kàn qǐ lái zhēn jiào rén bù rěn xīn bǎ jiǎo cǎi shàng
毯，那么纯洁，那么晶莹，看起来真叫人不忍心把脚踩上

qù　lù liǎng páng biàn shì liǎng pái tǐng bá de shuǐ shān shù　xiàng liǎng pái zhàn de zhěng
去。路两旁便是两排挺拔的水杉树，像两排站得整

zhěng qí qí　chuān zhe bái pī fēng de wèi shì
整齐齐、穿着白披风的卫士。

jiào shì de wū
教室的屋

dǐng shàng　xuě
顶上，雪

gū niang hěn dà
姑娘很大

fāng de sòng gěi tā
方地送给它

yì chuáng hòu hòu
一床厚厚

de bái mián bèi
的白棉被。

wū yán biān shàng
屋檐边上

guà mǎn le shuǐ jīng bān de xiǎo bīng zhù　jiù xiàng gěi wū yán xiāng shàng le　yí dào líng lóng
挂满了水晶般的小冰柱，就像给屋檐镶上了一道玲珑

de huā biān
的花边。

cāo chǎng shàng gèng měi liǎng páng de liǔ shù shù xià de shuǐ ní pīng pāng qiú
操场上更美。两旁的柳树，树下的水泥乒乓球

tái cāo chǎng zhōng yāng gāo dà de lán qiú jià quán dōu shì yín zhuāng sù guǒ
台，操场中央高大的篮球架，全都是银装素裹。

dīng líng líng zǎo dú kè xià kè le tóng xué men huān jiào zhe bēn chū jiào
"丁零零……"早读课下课了，同学们欢叫着奔出教

shì xiào yuán lǐ yí xià zi fèi téng qǐ lái
室，校园里一下子沸腾起来。

nán tóng xué gè gè shēng lóng huó hǔ tā men zuì gǎn xìng qù de shì dǎ xuě zhàng cāo
男同学个个生龙活虎，他们最感兴趣的是打雪仗。操

chǎng shàng shā shēng zhèn tiān zhǐ jiàn xuě tuán xiàng yí dào dào liú xīng shǎn guò
场上"杀声震天"，只见雪团像一道道流星闪过。

nǚ tóng xué xǐ huān gǔn xuě qiú duī xuě rén qī bā gè rén yì qǐ gǔn liǎng gè dà xiǎo
女同学喜欢滚雪球、堆雪人。七八个人一起滚两个大小

bù děng de xuě qiú liào zài yì qǐ yòng liǎng gè xiǎo hēi bō lí qiú zuò yǎn jing yòng hóng
不等的雪球，撂在一起用两个小黑玻璃球做眼睛，用红

hóng de là jiāo zuò bí zi yí wèi tóng xué yòng hóng mò shuǐ gěi xuě rén tú yí gè hóng hóng
红的辣椒做鼻子，一位同学用红墨水给雪人涂一个红红

de zuǐ yí huì er gōng fu jǐ gè pàng hū hū yuán gǔn gǔn de xuě rén wāi zhe nǎo dai
的嘴，一会儿工夫，几个胖乎乎、圆滚滚的雪人歪着脑袋，

xiàng wǒ men wēi xiào le
向我们微笑了。

xiè xie nǐ xuě nǐ gěi wǒ men de xiào yuán zēng tiān le měi lì zēng tiān le
谢谢你，雪！你给我们的校园增添了美丽，增添了

kuài lè
快乐。

 名师点评

　　雪后，那白皑皑的一片景象，是别处也能见到的。文章里
也有几处雪后的静态描写。校园里另有一种景象，那就是学生
们的欢乐：男生们打雪仗，女生们堆雪人。作文中写出了这欢
乐的动态。

集藏乐

广东　张宁娜

爸爸常和我一起整理我们的宝贝——火花、邮票……

爸爸把我所有的火花按顺序放好，我欣赏着重新排列好的火花，心里乐开了花。

爸爸随后给了我一本新的集邮簿，我心里怦怦直跳：爸爸一定是让我集邮了！果然，爸爸拿出好几本集邮簿，摊开来，让我选自己喜欢的邮票。我看见这张觉得好，看见那张也觉得好，结果，选了很多。爸爸把选出来的邮票分门别类，再教我按类别放到集邮簿里，告诉我

它们各自的故事和知识。我喜欢得捧在手里看不够，真是爱不释手啊！

整理完邮票，爸爸又送给我一本放硬币的册子，里面

fàng zhe yì méi méi yìng bì   wǒ yòu liǎo jiě le xǔ duō yìng bì de zhì zuò nián dài hé yàng shì
放着一枚枚硬币，我又了解了许多硬币的制作年代和样式。

wàng zhe yǎn qián de huǒ huā   yóu piào   yìng bì   wǒ xīng fèn bù yǐ   xīn xiǎng
望着眼前的火花、邮票、硬币，我兴奋不已，心想：

wǒ de shōu huò kě zhēn dà
我的收获可真大！

 名师点评

> 人们情绪的表现，在作文中是体现在字里行间的，是一种自然的流露。作文中写集藏的欢乐：把"火花、邮票、硬币"称作为"宝贝"，欣赏时"心里乐开了花"，接过集邮册时"心里怦怦直跳"……这里并没有华丽的辞藻，但它却能表达真实的感情。

扫雪

河北 蔡 玲

zǎo chén   cóng shōu yīn jī lǐ chuán lái le shì cháng hào zhào quán shì jūn mín shàng
早晨，从收音机里传来了市长号召全市军民上

jiē sǎo xuě de shēng yīn   wǒ pǎo dào yáng tái shàng yí kàn   a   zhěng gè nán jīng chéng
街扫雪的声音。我跑到阳台上一看，啊！整个南京城

xiàng yí piàn bái sè de hǎi yáng   xuě què shí hěn měi   dàn gěi lù shàng de chē liàng   xíng
像一片白色的海洋。雪确实很美，但给路上的车辆、行

rén dài lái le bú biàn
人带来了不便。

dāng wǒ hé mā ma ná zhe tiě chǎn lái dào jiē shàng shí   yǐ yǒu bù shǎo sǎo xuě de
当我和妈妈拿着铁铲来到街上时，已有不少扫雪的

rén   jiù lián tuì xiū de lǎo yé ye   lǎo nǎi nai yě gǎn lái le   yǒu de yòng tiě chǎn chǎn
人，就连退休的老爷爷、老奶奶也赶来了，有的用铁铲铲

yǒu de yòng sào zhōu sǎo   zǔ chéng yì zhī sǎo xuě de duì wǔ
有的用扫帚扫，组成一支扫雪的队伍。

街上的雪被汽车轮子轧过，冻在地上很不好铲，一铲下去，才铲出一条白痕，震得手都麻了，铲了半天只铲出一小块地方。

"参战"的解放军叔叔们解开棉衣扣子，摘掉帽子，把一块块铲下来的雪扫到树下。老爷爷、老奶奶也脱掉棉手套，用扫帚使劲地把碎雪推向马路两旁。

北风吹到我的小脸上，像刀割一样，手指冻得生疼，红得活像一根根小红萝卜。在扫雪的人群中我虽然是个小不点儿，但我能为这次扫雪出一份小小的力量，心里感到热乎乎的。

 名师点评

扫雪，要写些什么？雪大，整个城市成了雪的海洋；出动的人多，群众和解放军齐出动；天寒地冻，扫雪艰难，扫雪有成效，路面露出来，场面热烈。这篇作文是在这个基础上不断充实写成的。

小弟弟，不要……

吉林 王艺

yí gè xīng qī tiān de zǎo shàng，mā ma dài wǒ qù guàng jiē
一个星期天的早上，妈妈带我去逛街。

wǒ xiàng chū lóng de xiǎo niǎo er　zhèng tuō mā ma de shǒu　bèng bèng tiào tiào de
我像出笼的小鸟儿，挣脱妈妈的手，蹦蹦跳跳地

pǎo zài qián miàn　dōng qiáo qiáo　xī kàn kàn　rén xíng dào páng de huā chí lǐ　liǔ shù
跑在前面，东瞧瞧，西看看。人行道旁的花池里，柳树

piāo zhe tā nà róu ruǎn de xiù fā　xiǎo cǎo chèn zhe gè zhǒng yán sè de xiǎo huā er　yǐn de
飘着它那柔软的秀发，小草衬着各种颜色的小花儿，引得

xiǎo mì fēng zài huā cóng zhōng wēng wēng de fēi　hū rán　cóng qián miàn pǎo guò lái yí
小蜜蜂在花丛中嗡嗡地飞。忽然，从前面跑过来一

gè chuān bèi xīn hé duǎn kù de xiǎo nán hai　tā
个穿背心和短裤的小男孩，他

hǎo xiàng yào jí zhe chuān guò mǎ lù shì de　zhí
好像要急着穿过马路似的，直

jiē pǎo dào huā chí qián　tái tuǐ jiù yào kuà jìn qù
接跑到花池前，抬腿就要跨进去。

wǒ lián máng xiàng tā hǎn　wèi　xiǎo dì di
我连忙向他喊："喂，小弟弟，

bù yào kuà　tā zhuǎn guò tóu lèng lèng de kàn
不要跨！"他转过头愣愣地看

zhe wǒ　wǒ wèn tā yào gàn shén me　tā shuō
着我。我问他要干什么，他说：

wǒ yào cǎi jǐ duǒ huā er　wǒ shuō　huā
"我要采几朵花儿。"我说："花

shì ràng dà jiā xīn shǎng de　shì měi huà wǒ men chéng shì de　bù néng cǎi　tā cán kuì
是让大家欣赏的，是美化我们城市的，不能采！"他惭愧

de dǐ xià le tóu   xiǎo shēng shuō   xiǎo jiě jie   nǐ shuō de duì   wǒ bù cǎi le   wǒ
地低下了头，小 声 说："小 姐姐，你说得对，我不采了。"我

xiào le   zhè shí   māma yǐ jīng zhàn zài wǒ de shēn hòu   tā yòng shǒu fǔ mō zhe wǒ de
笑了，这时，妈妈已经站在我的身 后。她用手抚摸着我的

tóu   duì nà gè xiǎo nán hái shuō   xiǎo péng you   nǐ shì gè hǎo hái zi   yǐ hòu   nǐ
头，对那个小男孩说："小 朋 友，你是个好孩子。以后，你

yě yào xiàng xiǎo jiě jie yí yàng ài hù huā cǎo   néng zuò dào ma   tā shǐ jìn de diǎn le
也要 像 小 姐姐一样爱护花草，能 做 到吗？"他使劲地点了

diǎn tóu   dà shēng shuō   néng
点头，大声 说："能！"

wǒ hé māma dōu xiào le
我和妈妈都笑了。

名师点评

> 本文的标题很有创意，引发读者的好奇心，同时文章写得条理清楚，记叙明白，层次清晰。

晨　读

河北　刘新强

qiū tiān de zǎo chén liáng fēng xí xí   zuò zài mò pán yòu biān de nǚ hái zi tóu shàng jì
秋天的早晨凉 风习习，坐在磨盘右边的女孩子头 上系

zhe yí kuài tóu jīn   chuān zhe yì shēn féi dà de kù guà   chì zhe jiǎo chuān zhe yì shuāng
着一块头巾，穿着一身肥大的裤褂，赤着脚 穿着一 双

dà qiú xié   tā shuāng shǒu pěng zhe shū   quán shén guàn zhù de mò dú zhe   shēn biān
大球鞋。她 双 手捧着书，全 神 贯 注地默读着，身边

fàng zhe yì zhī hóng sè de qiān bǐ   suí shí zhǔn bèi yòng lái quān quān huà huà   jì xià zì
放着一支红色的铅笔，随时准备用来圈 圈 画画，记下自

jǐ de dú shū tǐ huì   tā de shén tài shì nà yàng tóu rù   yì zhī máo róng róng de xiǎo jī zài
己的读书体会。她的神态是那样投入，一只毛茸 茸的小鸡在

tā jiǎobiānzhuàn lái zhuàn qù tā jìngméiyǒuchájuédào zuò zài zhèngzhōng de shì yí
她脚边 转来转去，她竟没有察觉到。坐在正 中 的是一

wèipèidàihónglǐng jīn de nánhái zi tā bǎ shūfàngzài tuǐ shàng yángzhe bó zi bì
位佩戴红 领巾的男孩子。他把书放在腿上 ，扬着脖子，闭

zheyǎnjing zhāng zhe zuǐ hǎoxiàng zài sī suǒshénme wèn tí huò zhě mò jì zhe
着眼睛，张着嘴，好 像在思索什么问题，或者默记着

shénmenèiróng
什么内容。

tā de shēn páng
他的身 旁

fàng zhe jǐ zhāng kǎ
放着几张卡

piàn yě xǔ shì tā de
片，也许是他的

xué xí zhòng diǎn jì lù
学习重 点记录

ba zuò zài mò pán zuǒ
吧！坐在磨盘左

biān de nà gè nán hai
边 的那个男孩

chuānzhe yì shēn tuì le sè de bù yī shang jiǎo tà zhe yì shuāng nǚ hái zi cháng chuān
穿 着一身 褪了色的布衣 裳 ，脚踏着一 双 女孩子常 穿

de pāndài bù xié tā yòngshūběntuōzhexià bā jǐn suǒshuāngméi zài kǔ kǔ de sī
的攀带布鞋。他用书本托着下巴，紧锁 双 眉，在苦苦地思

suǒzheshénme tā shēnbiān de lǎomǔ jī jǐ hé yì qúnxiǎo jī yǔ tā xiāng ān wú shì sī
索着什么。他身 边的老母鸡和一群小 鸡与他相 安无事，丝

háoméiyǒugǎndàowēixié gèngbù zhīdào tā shūbāo lǐ háiyǒu yí gè dàngōng ne
毫没有感到威胁，更不知道他书包里还有一个弹 弓呢！

shāncūnhái zi men de shēng huó shì qīng kǔ de kě shì tā men yǒu zì jǐ de zhuī
山村孩子们的 生 活是清苦的，可是他们有自己的追

qiú tā menqínfènxué xí kè kǔ gōngdú tā menxiāngxìn zài bù jiǔ de jiāng lái huì
求，他们勤奋学习，刻苦攻读。他们 相 信在不久的将来，会

yòng zì jǐ de zhì huì hé lì liàng gǎi biàn zhè yí qiè bǎ jiā xiāng jiàn shè de gèng
用自己的智慧和力量，改变这一切，把家 乡 建设得更

měihǎo
美好。

名师点评

> 晨读描写的是几个孩子专心致志读书的神态。描写的方法，一是写这几个孩子读书时的投入的神态，或阅读，或思索，都是全神贯注；一是用衬托的方法，写脚边的鸡与他们"相安无事"。足见孩子们读书的投入了。

烧竹筒饭

山东 李 谦

最近，我们参加了佘山"彩色天地"三日营活动。在这次活动中，我们不但浏览了许多名胜古迹，还学会了一些必要的家务活儿。其中给我印象最深的是烧香气诱人的竹筒饭。

佘山是个盛产竹子的好地方，那里长出的毛竹又粗又壮，当地人常用一段段竹筒作为煮饭的炊具。因此，用竹筒烧出的饭，就被命名为"竹筒饭"。辅导员老师为了锻炼我们的野外生存的能力，便让我们亲手试试怎样来做竹筒饭。

辅导员对我们说："要烧饭，先得分工。有的领竹筒，洗竹筒，有的领糯米、香肠；有的搭灶，升火；有的灌米，塞香肠；还有的……"辅导员还没有说完，同学们都"我去！我去！"争先恐后地要求让自己试试。

辅导员看了我们一眼，意味深长地说："大家的热情很高，这很好，不过，分到你们什么工作，你就得努力去

把它们做好，不能挑挑拣拣，不服从分配哦！……"

同学们急着要烧"竹筒饭"，什么条件都答应了。

于是，辅导员决定让潘祺婷、盛春艳等同学去领竹筒，洗竹筒我和姜秀他

们去领糯米和香肠，赵峰他们留下来搭灶，生火……

"好，开始吧！"辅导员把手一挥，大家分头行动起来，三个人一群，五个人一伙，热情高涨地干开了。你看，这边小个子赵峰一边灵巧地传递着砖块，一边不停地吆喝着："当心，别砸坏了脚！……哎，这砖不能这么放，得竖着放……好，再来一块砖！……"那边的"小胖墩"

jiāngxiùgàn de yě bú lài　　tā xùn sù de cóng fǔ　lǐ zhuā qǐ yì bǎ mǐ　　jiù wǎng dǎ guò
姜秀干得也不赖。他迅速地从釜里抓起一把米，就往打过

dòng de zhútǒng lǐ sāi　nǐ menqiáo　tā mengàn de duōdài jìn a
洞的竹筒里塞。你们瞧，他们干得多带劲啊！

lú zàoshēnghuǒ yǐ hòu　tóngxuémen bǎ sāizhenuò mǐ hé xiāng cháng de zhútǒng
炉灶升火以后，同学们把塞着糯米和香肠的竹筒

píngfàng zài zào tóu shàng　ràng huǒ shāo kǎo　zhè shí hòu　dà jiā wéi zuò zài lú zào
平放在灶头上，让火烧烤。这时候，大家围坐在炉灶

páng　yàn zhe kǒu shuǐ　mù bù zhuǎn jīng de jǐn dīng zhe zhú tǒng　jiāo jí de děng dài
旁，咽着口水，目不转睛地紧盯着竹筒，焦急地等待

zhe　děngdàizhe　yǒu jǐ gè　xiǎochán māo　bù shí de bǎ bí zi còushàngqián qù
着，等待着。有几个"小馋猫"不时地把鼻子凑上前去

wén　　nà yàng zi zhēnxiàng gè tānchī de zhū bā jiè
闻，那样子真像个贪吃的猪八戒。

mànchāng de　fēnzhōngzhōng yú ái guò qù le　　yí zhènfànxiāng pū bí ér lái
漫长的15分钟终于挨过去了，一阵饭香扑鼻而来。

a　fànzhǔshóu le　tóngxuémenqíngbú zì jīn de huān hū qǐ lái　fǔ dǎoyuán
"啊！饭煮熟了！"同学们情不自禁地欢呼起来。辅导员

xiǎoxīn jǐn shèn de jiāngzhútǒng pī kāi　dà jiā lǐngzhe zì jǐ de yí fèn　dūn zài yì biān
小心谨慎地将竹筒劈开，大家领着自己的一份，蹲在一边，

lángtūnhǔ　de chī le qǐ lái
狼吞虎咽地吃了起来。

duǎnzàn de shé shān sān　rì yíng huó dòng suī rán jié shù le　　dàn wǒmen yǒngyuǎn
短暂的佘山三日营活动虽然结束了，但我们永远

bú huìwàng jì nà shǐ rénchuíxián yù dī de zhútǒngfàn
不会忘记那使人垂涎欲滴的竹筒饭。

名师点评

　　烧竹筒饭，这可是新鲜事。写新鲜事要把握什么？作文着
重表达了"热情高"的特点和迫不及待的心情：先是争先恐后
地都要去尝试；分工之后，都"热情高涨地干开了"；烧烤时的
又急又馋；饭熟后的"狼吞虎咽"。写出了野营生活中生动的一
页。

热闹的菜市场

河北 毕晓航

我早就听说星火菜市场蔬菜肉鱼等副食品种类繁多，却一直没有机会去看看。星期天早晨，妈妈去买菜，我也早早起了床，拿起篮子，跟着妈妈去市场逛逛。

还没进市场大门，只见里面人头攒动，分外喧哗。

市场分蔬菜区，鱼肉禽蛋区和小商品区。

我们随着人群走进了蔬菜市场。只见里边的蔬菜、水果鲜嫩丰富，琳琅满目。蔬菜摊上有绿油油的青菜，白里透红的萝卜，水灵灵的芹菜，红润润的番茄，绿衣带刺的黄瓜，小灯笼般的辣椒，胖乎乎的冬瓜……人们在摊位前任意挑选着自己喜欢的鲜嫩蔬菜。

在鸡鸭摊位上，白鹅在木栅栏里"嘎嘎"直叫；大公鸡披着一

shēn měi lì de jǐn yī　　ángzhe tóu zài zhà lán lǐ zǒu lái zǒu qù
身 美丽的锦衣，昂 着头在栅栏里走来走去。

zài xiān yú tān shàng　　dà lǐ yú zài pén zhōng yóu lái yóu qù　　jì yú huó bèng luàn
在 鲜鱼摊 上 ，大鲤鱼在盆 中 游来游去，鲫鱼活 蹦 乱

tiào　mǎi yú de rén qún zài bǐ huazhe　tiāo jiǎnzhe　gēnmài yú de hái jià lùnchèng　shí
跳。买鱼的人群在比画着，挑拣着，跟卖鱼的还价论 秤 ，十

fēn rè nào
分热闹。

wǒmen zài cài shì chǎng shàng mǎi le xīn xiān de qīng cài　jǐ dàn　hái yǒu zhū ròu
我们在菜市 场 上 买了新鲜的青菜、鸡蛋，还有猪肉、

dòu fu gān děng xǔ duō fù shí pǐn　mǎn zài ér guī
豆腐干 等许多副食品，满 载而归。

名师点评

写市场景象，应突出反映人头攒动，货源充足，从而反映
社会经济繁荣的一个侧面。

我和爸爸谈判

　　　山西　杨心怡

jīn tiān　　wǒ huí dào jiā　dǎ kāi diàn
今天，我回到家，打开电

shì kàn wǒ xǐ huān de diàn shì jié mù　bà
视看我喜欢的电视节目。爸

ba huí lái le　yí xià zi huàn le tǐ yù jié
爸回来了，一下子换了体育节

mù　wǒ jí de dà jiào　wǒ xiǎng　dà
目，我急得大叫。我想，大

rén néng xuǎn zé zì jǐ de jié mù　　wǒ yě yīng gāi yě yǒu zhè gè quán lì　　yú shì wǒ jué dìng
人 能 选 择 自己 的 节目，我 也 应 该 也 有 这 个 权 利。于 是 我 决 定

hé bà ba tán pàn　　wǒ zhèng zhòng de bǎ zì jǐ de xiǎng fǎ gào sù le bà ba　　bà ba xiǎng
和 爸爸 谈 判。我 郑 重 地 把 自己 的 想 法 告 诉 了 爸爸。爸爸 想

le xiǎng　　rèn wéi wǒ shuō de duì　　wǒ men shāng liàng jué dìng　　měi tiān wǎn shàng
了 想，认 为 我 说 得 对。我 们 商 量 决 定，每 天 晚 上 7

diǎn zhōng yǐ qián wǒ kàn　　diǎn zhōng yǐ hòu dà rén kàn　　tiáo jiàn shì wǒ bì xū yào kàn
点 钟 以 前 我 看，7 点 钟 以 后 大 人 看，条 件 是 我 必 须 要 看

yǒu jiào yù yì yì de jié mù
有 教 育 意 义 的 节目。

　　a　　wǒ shèng la　　bà ba bù jǐn tóng yì le wǒ de kàn fǎ　　hái kuā wǒ shì gè gǎn yú
　　啊！我 胜 啦！爸爸 不 仅 同 意 了 我 的 看 法，还 夸 我 是 个 敢 于

fā biǎo zì jǐ yì jiàn de hái zi
发 表 自己 意 见 的 孩 子。

 名师点评

　　本文的题目很有趣味性，所叙的事件，起因很简单，情节
却很曲折、很吸引人，能引起小读者的共鸣，看来，小作者不
但是个有心人，还是个用心的人。

 家庭联欢会

山东　韩芳叶

wǒ jì yì zhōng wǎng shì jù chéng le tiáo tiáo xīng hé　　zài wǒ de nǎo hǎi li liú shì
我 记忆 中 往 事 聚 成 了 条 条 星 河，在 我 的 脑 海 里 流 逝

zhe　　rán ér yǒu yí jiàn měi hǎo de wǎng shì　　lìng wǒ zhōng shēn nán wàng
着，然 而 有 一 件 美 好 的 往 事，令 我 终 身 难 忘。

nà shì wǒ dú sì nián jí de shí hòu　　bà ba　　mā ma de gōng zuò dōu hěn jǐn zhāng
那 是 我 读 四 年 级 的 时 候，爸爸、妈 妈 的 工 作 都 很 紧 张，

家里死气沉沉的。我和哥哥商量，准备开一次"家庭联欢会"。

星期六的晚上，全家吃完晚饭，我就宣布："家庭联欢会正式开始了。"

我和哥哥把早已准备好的字条拿出来，每张纸上都写着一个要求。每人在盒子里随便抽一张，抽到什么便得按纸条上写的要求去做。这游戏叫做："抽签照做。"

我和哥哥分别表演了唱歌和吟诗。随后，我把盒子端到了妈妈的面前。妈妈抽了一张，打开一看，竟是学猫叫，妈妈很不自在地用右手捏着鼻子，仰着头"咪！咪！"地叫了几声。接下来是爸爸。爸爸很爽快，毫不犹豫地拣起一张纸条，慢吞吞地打开，我凑过去一看："哈哈哈！是学鸭子走路。"爸爸

为难地对我们说："我看学鸭子走路就免了吧，我再抽一

张，行不行？"妈妈说："你是一家之主，不能 耍赖。"哥

哥说："应该给我们做个榜样。"最终，爸爸"寡不敌

众"败下阵来。他两肘夹紧，两腿弯曲。脚跟 向内靠

拢，脚尖向外分开，成 "八"字形，半蹲着，嘴里还"嘎

嘎"地叫着，肥胖的身躯摇摇 晃 晃 地走 动。妈妈笑出

了泪花，我和哥哥笑 弯了腰，爸爸自己也笑了。接着，我们还

表演了相 声、独唱、拳击等小节目，整个家庭 充

满了欢 声 笑语。

我永远 忘不了这个美好的夜晚。

名师点评

　　家庭联欢会是别有一番情趣的。这情趣又往往体现在与孩子们同乐的大人的表现上。因此作文就把我和哥哥的表现简单带过了，这种写爸爸、妈妈的表演，尤其是写爸爸的神态举止，还掺和着一家的嬉闹，显现了天伦之乐。

忙中出错

山西　帝瑞芳

"啪"的一声，门被推开了，豆豆满头大汗，闯 了进

来。忽然，她看见桌子上有一张条子，上面写着："豆

豆：今晚我加班。妈妈。"

豆豆抬头一看已经5点40分了，一会怎么吃呢？还是帮

妈妈做饭吧。小猫咪好像也在催她快做饭。

你看她说干就干。只见她围上了做饭用的花围裙。拿

起刀子、切菜板、菜、调味品、肉盘子，就小心翼翼地干了起

来。豆豆右手握刀左手拿菜，一下一下地把菜、肉切好了。

最后照着妈妈的样子又淘了大米，往大米里加进适量的水

倒在高压锅里，开始做大米饭。这时她把切好的菜拿到厨房，

又拿来炒菜锅、油、铲子。豆豆胸有成竹地把油倒在锅

中，打开了煤气炉，搁上锅，开始炒菜了。"滋啦"一声

菜就倒进了锅里。豆豆一铲一

铲地把菜翻过来翻过去，只怕菜

炒不熟。小铲和铁锅碰撞

在一起，发出"滋滋"的声音，

这时高压锅也发出"嗤嗤嗤"的

声音，这声音交织在一起，组

成厨房交响曲。豆豆这时已

是热汗直流，但她顾不上擦一把，像大厨师一样敲打着炒锅。看见自己的劳动成果，豆豆脸上露出了笑容。蹲在一旁的小猫也"咪咪"地叫了几声，好像在对豆豆说："让我尝一尝，让我尝一尝。"

　　菜炒完了，她把香喷喷的大米饭和菜端端正正地摆在桌子上。刚摆好，爸爸、妈妈都回来了，一看见桌子上的饭和菜。爸爸问："女儿，这菜是谁做的？""我做的！"豆豆昂起头回答。爸爸、妈妈可高兴了，连忙洗了手，坐下来吃饭。谁知刚吃一口，他们就大叫起来："怎么这么咸呢？"豆豆连忙尝了一口，赶紧吐在地上。趴在一旁的小猫看见了豆豆的动作，好像埋怨似的说："还不是你，刚才我说让我尝一下吧，你偏不，看，这不，忙中出错了吧！"

 名师点评

　　　　文中把豆豆的想法和出错的原因都写得很详细，令人信服。描写豆豆做饭、炒菜时的动作和厨房里发出的声音，很是传神。小猫的插入，使文章增添了情趣，最后还用拟人的语言点明了中心思想。

和爸爸赛跳绳

天津 李晓陶

傍晚，我和爸爸比赛跳绳。我跳了80下，爸爸才跳了40下。爸爸不服气。说："我就不信比不过你这个黄毛丫头！再来一次！"这一次，爸爸更惨，才跳了20下就绊了脚。我

跳了102下，爸爸只好认输。我高兴得一步两个台阶跑回家。

名师点评

比赛的经过写得非常生动，尤其是爸爸的神情描写很形象。文章虽短，但饱含趣味。

一块塑料布

江苏 汤蓓

tiānshàngyǒuwúshù kē xīngxīng　　xiǎohuá yì biānchàngzhe gē yì biāngǔn
"天上有无数颗星星……"小华一边唱着歌一边滚

zhe tiě huán qù wài pó jiā　　jìn guǎn wū yún mì bù　　dàn tā hái shì zài bù jǐn bú màn de
着铁环去外婆家。尽管乌云密布，但他还是在不紧不慢地

zǒuzhe
走着。

lù guòguāngmíngxiǎoxuéxiàoménkǒu　　tā tū ránkànjiàngōng dì shànghái yǒu jǐ
路过光明小学校门口，他突然看见工地上还有几

dàishuǐ ní　xiǎohuá yí kàn kě jí le　　sā tuǐ
袋水泥。小华一看可急了，撒腿

jiù wǎnghuípǎo
就往回跑。

tā de tǐ lì jiào chà　　jīn tiān què xiàng
他的体力较差，今天却像

fēi máo tuǐ　　yí yàngwǎng jiā gǎn　wū
"飞毛腿"一样往家赶。屋

ménshìguānzhe de　　tā pò mén ér rù　　kàn
门是关着的，他破门而入，看

jiàn dì shàng de sù liào bù　　líng jī yí dòng
见地上的塑料布，灵机一动，

rēngxià tiě huán　　zhuā qǐ sù liào bù yòu yí
扔下铁环，抓起塑料布又一

zhènfēngpǎoyuǎn le　　māmawéizhewéiqúnzhèngzài xǐ cài　　jiàn tā huānghuāngmáng
阵风跑远了。妈妈围着围裙正在洗菜，见他慌慌忙

mángde　　jiù wèndào　　xiǎohuá nǐ qù na li　　děng tā zhuǎnguòshēn lái shí　rén
忙的，就问道："小华你去哪里？"等她转过身来时，人

zǎo jiù pǎoyuǎn le　　māmakànkàntiān　　　āi ya　　kuàixià yǔ le　　māma yě jí
早就跑远了。妈妈看看天："哎呀，快下雨了！"妈妈也急

máng zhuā bǎ yǔ sǎn gēn zhe pǎo le chū lái
忙 抓 把雨伞 跟着 跑了 出来。

zhè mǔ zi liǎ jiù xiàng zài jǔ xíng jiē lì pǎo bǐ sài yí yàng yí gè zài qián biān
这母子俩就 像 在举行 "接力跑" 比赛一样 ,一个在前边

pǎo lìng yí gè zài hòu miàn zhuī xiǎo huá qiǎng xiān yí bù lái dào le xué xiào gōng dì
跑 ,另一个在后面 追。小华 抢 先一步来到了学校 工 地。

tā bǎ nà kuài sù liào bù gài zài shuǐ ní shàng rán hòu yòu yòng zhuān tóu yā zhù le sì
他把那块 塑料布盖在水泥 上 , 然后又用 砖 头压住了四

gè biān
个边。

huā huā de yǔ shuǐ xiàng piáo pō yí yàng dào le xià lái yǔ shuǐ bàn zhe xiǎo huá
"哗哗" 的雨水 像 瓢泼一样 倒了下来,雨水 伴着小华

de hàn shuǐ liú xià lái
的汗水流下来。

zhè shí xiǎo huá kàn kàn zhōu wéi de yí qiè dōu shì nà yàng de měi hǎo xiǎo huá
这时, 小华 看看 周 围 的一切, 都是那样的美好, 小华

mò mò de zài xīn lǐ niàn dào yǔ shuǐ nǐ jìn qíng de xià ba
默默地在心里 念道:"雨水, 你尽 情地下吧!"

xiǎo huá zài kàn yì yǎn nà shuǐ ní tā men tǎng zài sù liào bù xià miàn hǎo xiàng zài
小华再看一眼那水泥, 它们 躺在塑料布下面好 像在

shuō xiǎo péng you xiè xiè nǐ xiè xiè nǐ jiù le wǒ men xiǎo huá xiào le xiào
说:"小 朋 友, 谢谢你, 谢谢你救了我们。" 小华笑了, 笑

de nà me kāi xīn
得那么开心。

zhè shí xiǎo huá fā jué yǔ tíng le zhàn qǐ shēn yí kàn yuán lái shì mā ma zài wèi
这时, 小华发觉雨停了, 站起 身一看, 原来是妈妈在为

tā dǎ sǎn zhèng wēi xiào de kàn zhe zì jǐ ne
他打伞, 正 微 笑地看着自己呢!

xiǎo huá wǒ men huí qù ba kàn nǐ lín de xiàng gè luò tāng jī mā ma
"小华,我们回去吧! 看你淋得 像个'落汤鸡'。"妈妈

chēng guài dào mā ma wǒ yī fú lín shī le bú yào jǐn zhǐ yào bǎo zhù le xué xiào de
嗔 怪道。"妈妈, 我衣服淋湿了不要紧, 只要保住了学校的

shuǐ ní mǔ zi liǎ xiāng shì ér xiào fēng yǔ zhōng xiāng bàn zhe wǎng huí zǒu qù
水泥!"母子俩 相视而笑, 风雨中 相 伴着 往回走去。

xiǎo huá yī rán chàng zhe gē tiān shàng yǒu wú shù kē xīng xīng
小华依然 唱 着歌:"天 上 有无数颗星 星……"

gē shēng yuǎn qù le zhǐ liú xià nà kuài sù liào bù bànzhe tā shēnxià de shuǐ ní
歌声 远去了，只留下那块塑料布伴着它身下的水泥。

 名师点评

　　记叙一件事情，必须把握以"人"为主体，然后是情节和环境的描写。这篇作文，在这三方面都把握得较好。

　　本文以小华在事件全过程中的表现和思想变化贯穿全文。从"不紧不慢地走着"，"突然看见工地上有在几袋水泥"，到"飞毛腿"似的奔回家，抓起塑料布就跑，抢先一步，把塑料布盖在水泥上，一个热爱集体财物的好少年栩栩如生地展现在读者面前。最后，风雨中，母子相伴，高兴而归的描述。更给人留下余味无穷的遐想。

买 菜

河北 胡 洋

nà shì yí gè xīng qī tiān wǒ de xiǎo biǎo mèi nào zhe yào chī huǒ guō mā ma duì wǒ
那是一个星期天，我的小表妹闹着要吃火锅。妈妈对我

shuō hǎi lì nǐ kuài qù mǎi
说："海丽，你快去买

xiē mó gu xiǎo yóu cài lái wǒ
些蘑菇、小油菜来。"我

mǎn kǒu dā ying mā ma bǎ qián
满口答应。妈妈把钱

gěi le wǒ wǒ shùn shǒu bǎ qián
给了我，我顺手把钱

fàng zài zhuō zi shàng huàn hǎo
放在桌子上，换好

鞋，提个菜篮子就向菜市场跑去。称好了蘑菇、小油菜，我正要付钱，忽然想起钱还在家里的桌子上。顿时，我的脸上感到热烘烘的，急得我不知该咋办才好。"海丽！海丽！"我听到喊声，扭头一看，妈妈气喘吁吁地跑来了。妈妈一边付钱，一边说："孩子来得急，忘记带钱了。"

在回家的路上，妈妈抚摸着我的头说："以后做什么事都要细心，不能慌慌张张。"我不住地点头。

名师点评

本文叙事清楚，其中对人物心理和举止的描述非常生动、细致，较好地表现儿童特有的心理。

捏橡皮泥

浙江　王心怡

今天一大早，我就起了床，开始玩自己的橡皮泥。这盒橡皮泥有大红、浅紫、淡蓝等18种漂亮的颜色。我先拿出一块白色的橡皮泥，把它捏成一朵云，捏在一块纸板上。接着，我又拿出几块绿色的橡皮泥和几块咖啡色的橡

pí ní niēchéngshí jǐ kē shù yě bǎ tā mennièzàizhǐbǎnshàng zuìhòu wǒ bǎ yí
皮泥，捏成十几棵树，也把它们捏在纸板上。最后，我把一

kuàihóng sè de xiàng pí ní ná chū lái bǎ tā niēchéng
块红色的橡皮泥拿出来，把它捏成

yí gè tài yáng yòu bǎ tā niē zài zhǐ bǎn shàng zhè
一个太阳，又把它捏在纸板上。这

yàng yí fú huà jiù wánchéng le wǒ zhēn xǐ huān
样，一幅画就完成了。我真喜欢

xiàng pí ní yīnwèiyòng tā néngniēchūwǒxīnzhōng de
橡皮泥，因为用它能捏出我心中的

mèngxiǎng
梦想。

 名师点评

整篇文章围绕一个"捏"字来写，叙述条理清晰，非常细致，富有童趣，结尾还突出了中心，深化了主题。

 # 煮馄饨

 河北　席彩棱

jīn wǎn māmabāo le xǔ duōhúntun tā men yí gè gè báishēngsheng pàng
今晚，妈妈包了许多馄饨，它们一个个白生生、胖

hū hu de tíngzhexiǎo dù zi zhěngzhěng qí qí de zhànzàizhúbiānshàng
乎乎的，挺着小肚子，整整齐齐地站在竹匾上。

wǒxiǎng qǐ le zhōngduìkāizhǎn de zuòwéiqúnduìyuán de huódòng jiù xìng
我想起了中队开展的"做围裙队员"的活动，就兴

chōngchōng de duìmāmashuō māma ràngwǒ lái zhǔhúntun ba māma yì kǒu
冲冲地对妈妈说："妈妈，让我来煮馄饨吧!"妈妈一口

dāying le
答应了。

我先往锅里加满水，接着点燃煤气烧水。过了一会儿。水开了，水面上冒起了一串串气泡，升起了一股股热气。我小心翼翼地把馄饨放进锅里，"扑通扑通"它们像一只只小企鹅跳进了水里，溅起了一朵朵小水花。我用勺子小心地在锅里搅一搅，馄饨也在锅里转起了圈，跳起了舞。

不一会儿的功夫，只见它们一个个都争着浮出水面，我往锅里加了点冷水，总算让它们安静了点。可过了一会儿，水又沸腾了，馄饨又一次浮出水面。我高兴地叫起来："妈妈，馄饨熟了!"我边说边把馄饨盛出来。

吃着自己煮的馄饨，我情不自禁地说："味道好极了!"

 名师点评

> 这篇作文写得十分生动有趣。"下馄饨"虽是最简单不过了，但小作者写得很细致，从而使馄饨的形象在作者的笔下显得十分可爱。

我当上了小记者

江苏　储千秋

　　上课铃响了，同学们飞快地拥进教室。这时，胡老师胳膊下夹着语文课本，笑容满面地走进教室，站到讲台前笑盈盈说："告诉大家一个振奋人心的消息，我们班的储千秋同学当上《少年文摘报》的小记者啦！"

　　没等老师说完，教室里就沸腾起来了，大家不约而同地把羡慕的目光投向了我。许红大声喊道："太好了！"听着同学们的议论，我脸上热乎乎的，心里甜滋滋的。接着老师说道："储千秋还有一篇文章发表啦！题目是《可爱的小猫》！"接着老师津津有味地读起来，同学们静静地听着……

　　此时，我仿佛看到遥远处的编辑叔叔也在面对着这篇文章，

bù zhù de diǎn tóu chēng zàn ne
不住地点头 称 赞呢!

名师点评

本文的场面描写相当到位，紧扣主题，文意流畅。小作者能够很好地把握人物的心理，描述得细致、生动。结尾意犹未尽，余音绕梁。

为老师加油

河北　宋彩香

jīn tiān shì jiào shī jié　wǒ men xué xiào de quán tǐ lǎo shī jìn xíng bá hé bǐ sài　fēn
今天是教师节。我们学校的全体老师进行拔河比赛，分
yǔ wén　shù xué　zōng hé sān zǔ　měi zǔ　rén
语文、数学、综合三组，每组15人。

gè jiù gè wèi
"各就各位——"
suí zhe cái pàn yuán yì shēng lìng
随着裁判员一声令
xià　lǎo shī men jīng shén dǒu
下，老师们精神抖
sǒu de shàng chǎng
擞地上场。

yù bèi　bā　lǎo
"预备——叭"，老
shī shuāng shǒu jǐn wò shéng zi
师双手紧握绳子，
shēn zi xiàng hòu yǎng　liǎn biē de tōng hóng　shǐ zú le jìn wǎng hòu lā　zhōng jiān de
身子向后仰，脸憋得通红，使足了劲往后拉。中间的

hóng bù tiáo hū zuǒ hū yòu   wǒ men zhè xiē xiǎo guān zhòng de xīn yě suí zhe hū shàng hū
红布条忽左忽右，我们这些小观众的心也随着忽上忽

xià   yǒu de zài yì páng duò jiǎo   yǒu de huī dòng shǒu bì hǎn   jiā yóu
下，有的在一旁跺脚，有的挥动手臂喊"加油"。

jīng guò jī liè zhēng duó   zōng hé zǔ de lǎo shī huò de dì yī míng   shù xué zǔ de
经过激烈争夺，综合组的老师获得第一名，数学组的

lǎo shī huò de dì èr míng   lǎo shī yí gè gè xìng gāo cǎi liè   wǒ zhōng xīn zhù yuàn lǎo shī
老师获得第二名。老师一个个兴高采烈。我衷心祝愿老师

men jié rì kuài lè
们节日快乐！

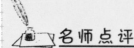

名师点评

　　小作者用细致生动的语言，把拔河比赛的场面描写得有声
有色，激动人心，观察非常细致。

搬煤饼

浙江　俞淑华

xīng qī tiān xià wǔ   dīng ding hé dōng dong zhèng zài yuàn zi lǐ wán shuǎ   tū rán
星期天下午，丁丁和冬冬正在院子里玩耍。突然，

wū yún mì bù   léi shēng lóng lóng   yào xià yǔ le   zhè shí   tā men kàn jiàn wáng nǎi nai
乌云密布，雷声隆隆，要下雨了。这时，他们看见王奶奶

zhèng ná zhe bǒ ji   jí jí máng máng de wǎng wū lǐ bān méi bǐng   tā men lián máng
正拿着簸箕，急急忙忙地往屋里搬煤饼。他们连忙

wǎng zhè biān pǎo   biān pǎo biān zhāo zhe shǒu hǎn   wáng nǎi nai   bú yào zháo jí
往这边跑，边跑边招着手喊："王奶奶，不要着急，

wǒ men lái bāng nín bān
我们来帮您搬！"

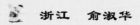

tā liǎ měi cì bān sì wǔ kuài   sān gè rén hěn kuài bǎ méi bǐng bān wán le   dīng ding
他俩每次搬四五块，三个人很快把煤饼搬完了。丁丁

hé dong dong lèi de mǎn tóu dà hàn
和 冬 冬 累 得 满 头 大 汗。

zhèng zài zhè shí   dà yǔ huā hua de
正 在 这 时，大 雨 哗 哗 地

xià qǐ lái le   wáng nǎi nai pěng zhe
下 起 来 了。 王 奶 奶 捧 着

liǎng bēi rè chá   xiào mī mi de shuō
两 杯 热 茶，笑 眯 眯 地 说：

zhēn shì tài xiè xiè nǐ men le   yào
"真 是 太 谢 谢 你 们 了！ 要

bú shì nǐ men   wǒ yí gè rén zhēn bù zhī gāi zěn me bàn   dīng ding hé dong dōng yáo zhe
不 是 你 们，我 一 个 人 真 不 知 该 怎 么 办！"丁 丁 和 冬 冬 摇 着

shǒu shuō   bú yòng xiè   bú yòng xiè   zhè shì wǒ men shào xiān duì yuán yīng gāi
手 说： "不 用 谢，不 用 谢，这 是 我 们 少 先 队 员 应 该

zuò de
做 的。"

 名师点评

　　本文具体生动地描述了搬煤饼的全过程，读完全文，两个天真可爱的少先队员的形象跃然纸上，全文记叙清楚，语言、动作描写也很生动形象。

蛇口救人

天津　甘　梅

yuè   rì   zhèng zài zhí qín de mín jǐng wáng yù dé jiē dào jǐng lìng   sù qù hé
8 月 25 日，正 在 值 勤 的 民 警 王 毓 德 接 到 警 令：速 去 和

píng gōng yuán jiù rén   dào nà li cái zhī dào shì dà shé chán zhù le rén   zhǐ jiàn yì tiáo jìn
平 公 园 救 人，到 那 里 才 知 道 是 大 蛇 缠 住 了 人。只 见 一 条 近

liǎng mǐ cháng de dà shé jǐn jǐn chán zhù bǎi zì xíng chē xiū lǐ tān de zhōu dé míng de jǐng bó

两米长的大蛇紧紧缠住摆自行车修理摊的周德明的颈脖，

shé de shé xìn bú duàn de

蛇的舌信不断地

tiǎn zhe xiǎo zhōu de liǎn

舔着小周的脸。

xiǎo zhōu yǐ bèi xià hūn guò

小周已被吓昏过

qù wéi guān de qún zhòng

去。围观的群众

yòng gùn bàng tiě tiáo

用棍棒、铁条

xiǎng bǎ dà shé tiǎo kāi nǎ

想把大蛇挑开。哪

zhī fēi dàn tiāo bù kāi dà shé fǎn ér yuè shōu yuè jǐn xiǎo zhōu de hū xī gèng kùn nán le

知非但挑不开，大蛇反而越收越紧，小周的呼吸更困难了，

qíng kuàng shí fēn wēi jí

情况十分危急。

wáng yù dé jiàn zhuàng máng zhì zhǐ le zhè zhǒng bàn fǎ tā xiǎng zhǐ yǒu shǐ

王毓德见状，忙制止了这种办法。他想：只有使

dà shé de hū xī zhì xī cái néng lìng tā sōng kāi xiǎo zhōu yú shì tā yí gè jiàn bù tiào

大蛇的呼吸窒息，才能令它松开小周。于是，他一个箭步跳

le guò qù kàn zhǔn le shuāng shǒu zhuā zhù le dà shé de qī cùn sǐ sǐ de qiā jǐn

了过去，看准了，双手抓住了大蛇的七寸，死死地掐紧

tā dà shé pīn mìng zhèng zhá bìng luàn yǎo xiǎo wáng de shuāng shǒu xiǎo wáng bù

它。大蛇拼命挣扎。并乱咬小王的双手。小王不

kěn sōng shǒu rěn zhù jù tòng liǎng shǒu yuè qiā yuè jǐn dà shé hū xī kùn nán yě

肯松手，忍住剧痛，两手越掐越紧。大蛇呼吸困难，也

jiù zhú jiàn fàng sōng le duì xiǎo zhōu de jǐn chán qún zhòng bǎ tā tuō chū lái yòu yòng

就逐渐放松了对小周的紧缠。群众把他拖出来，又用

gùn bàng qù zá dà shé bù yí huì er jiù bǎ tā zá sǐ le zhè shí xiǎo wáng cái bǎ

棍棒去砸大蛇，不一会儿，就把它砸死了。这时，小王才把

shuāng shǒu fàng kāi

双手放开。

zhè shí rén men zǎo yǐ hǎn lái le jiù hù chē bǎ yǐ jīng tān huàn de xiǎo zhōu hé fù

这时，人们早已喊来了救护车，把已经瘫痪的小周和负

le shāng de xiǎo wáng fú shàng chē　　chē dào le zhuān zhì shé yǎo shāng de yī yuàn　jīng
了 伤 的 小 王 扶 上 车。 车 到 了 专 治 蛇 咬 伤 的 医 院， 经

jiǎn chá zhěn duàn　　xìng hǎo nà tiáo dà shé shì dà qīng shé　bú shì dú shé　dàn xiǎo wáng
检 查 诊 断， 幸 好 那 条 大 蛇 是 大 青 蛇， 不 是 毒 蛇； 但 小 王

de shuāng shǒu què bèi yǎo de xiān xuè zhí liú　　bìng qiě chù chù hóng zhǒng　　zhǐ hǎo liú zài
的 双 手 却 被 咬 得 鲜 血 直 流， 并 且 处 处 红 肿， 只 好 留 在

yī yuàn lǐ jì xù guān chá zhì liáo　　jǐ tiān hòu cái chū yuàn　huí dào jǐng shǔ　tā kàn dào
医 院 里 继 续 观 察 治 疗， 几 天 后 才 出 院。 回 到 警 署， 他 看 到

le xiǎo zhōu sòng lái de gǎn xiè xìn hé jū wěi huì sòng lái de jǐn qí　　shàng miàn xiù zhe
了 小 周 送 来 的 感 谢 信 和 居 委 会 送 来 的 锦 旗， 上 面 绣 着

zhì yǒng shuāng quán　sì gè dà zì
"智 勇 双 全" 四 个 大 字。

 名师点评

> 这写的是惊险的一幕。蛇缠住了人，越收越紧，这会使人窒息死亡。抢救的过程要有智有勇：抓蛇脖子的七寸，并掐住它，使它呼吸困难，才能使蛇瘫痪，这是"智"的表现；但还更需有勇，智勇双全，才能化险为夷。

送 女 孩

江苏 吴 娟

kuài xià léi yǔ le　　zài dì lǐ gàn huó de rén biān hǎn biān pǎo　wǒ yí kàn　tiān
"快 下 雷 雨 了!" 在 地 里 干 活 的 人 边 喊 边 跑。 我 一 看， 天

kōng zhōng wū yún mì bù　　mēn léi yì shēng jiē zhe yì shēng de cóng tóu shàng xiǎng guò
空 中 乌 云 密 布， 闷 雷 一 声 接 着 一 声 地 从 头 上 响 过。

wǒ bēi zhe shū bāo dà bù liú xīng de wǎng jiā lǐ zǒu qù
我 背 着 书 包 大 步 流 星 地 往 家 里 走 去。

wǒ gāng yí guò xiǎo qiáo　　hū rán tīng dào xiǎo nǚ hái de kū shēng　zhǐ jiàn yí gè dà
我 刚 一 过 小 桥， 忽 然 听 到 小 女 孩 的 哭 声。 只 见 一 个 大

约五六岁的小女孩赤着脚，坐在一块青石板上哭。我上前一问，才知道她是自己从幼儿园跑出来迷路了。这时，一道闪电过后，雨随着风从远处卷来，又急又大。看着无助的小女孩，我焦急万分。

我抱着小女孩，在风雨中一边走，一边安慰着孩子。不巧书包带子又断了，我只得一手抱着女孩，一手夹着书包，继续往前走。快到幼儿园时，我隐约看到幼儿园的钱老师在雨中东张西望，像在寻找着什么。我明白了，一口气跑到钱老师跟前，把小女孩交给了她。趁着钱老师接过小女孩的时候，我喊了声"再见"就转身向雨中跑去。

第二天中午，我回家吃饭，听到广播里传出这样的声音："昨天，秦燕在风雨中……"听到这一切，我感到很宽慰，因为我做了我应该做的事。

名师点评

在风雨交加中，一个稍大一些的女孩，护送一个迷路的小女孩回家。这是一种责任心的表现。文中叙述她听到广播中对自己的表扬，感到很宽慰。自己做了应该做的事，这就是尽到了责任后的快慰。

分 西 瓜

吉林 孙 璐

　　bà ba mǎi le yí gè dà xī guā　ràng wǒ fēn gěi yì jiā rén chī　zhè kě ràng wǒ fàn le
爸爸买了一个大西瓜，让我分给一家人吃。这可让我犯了

nán　wǒ xiǎng　bà ba yí
难。我想，爸爸一

dìng zài kǎo yàn wǒ　kě bù
定在考验我，可不

néng ràng tā shī wàng
能让他失望。

　　duì　xiān fēn gěi yé ye
　　对，先分给爷爷，

zài fēn gěi bà ba　mā ma
再分给爸爸、妈妈。

zhǔ yì yǐ dìng　cā cā jǐ dāo
主意已定，嚓嚓几刀

wǒ jiù bǎ xī guā qiē kāi le　dì yí kuài gěi yé ye　rán hòu gěi bà ba hé mā ma　zuì hòu yí
我就把西瓜切开了。第一块给爷爷，然后给爸爸和妈妈，最后一

kuài shì wǒ de　yé ye biān chī xī guā biān xiào zhe shuō　shuài shuai zhēn shì gè dǒng shì
块是我的。爷爷边吃西瓜边笑着说："帅帅真是个懂事

dehái zi　　bà ba hé mā ma yě kuā wǒ zhǎng dà le
的孩子!"爸爸和妈妈也夸我 长 大了。

名师点评

本文对人物的心理活动写得很准确传神，而且事件经过叙述得很清晰。观察细致，想象丰富。

擦自行车

安徽 洪 露

wǒ men zhōng duì céng jīng jǔ xíng guò yí cì bié kāi shēng miàn de kè wài huó dòng
我们 中队 曾经举行过一次别开生 面的课外活动。
nà tiān fàng xué hòu　wǒ men zài zhōng duì zhǎng de dài lǐng xià　yì qí bēn xiàng xué xiào
那天放学后，我们在 中队 长 的带领下，一齐奔 向 学校
de chē péng　　gěi lǎo shī cā chē
的车 棚——给老师擦车。

zǒu jìn chē péng yí kàn　měi liàng chē dōu fù gài zhe yì céng chén tǔ hé yóu nì　wǒ
走进车 棚一看，每辆车都覆盖着一层 尘土和油腻。我
kàn dào wú lǎo shī de chē yóu qí zāng　chē jià shàng xiù hén bān bān　jiù shì zhè liàng chē
看到吴老师的车尤其脏，车架 上 锈痕斑斑。就是这辆车，
péi zhe wú lǎo shī jiā fǎng　shàng bān　jiù shì zhè liàng chē　péi zhe wú lǎo shī fēng lǐ lái
陪着吴老师家访、 上 班；就是这辆车，陪着吴老师风里来
yǔ lǐ qù　wèi wǒ men rì yè cāo láo　wǒ háo bù yóu yù de duì zhōng duì zhǎng shuō
雨里去，为我们日夜操劳。我毫不犹豫地对 中队 长 说：
zhè liàng chē wǒ cā　tóng xué men yě dōu qiǎng zhe zāng chē cā　yì shí jiān　chē
"这辆车我擦！"同学们也都抢着脏车擦，一时间，车
péng lǐ rè nào qǐ lái　dǎ shuǐ de dǎ shuǐ　xǐ bù de xǐ bù　cā chē de cā chē　nán
棚里热闹起来：打水的打水，洗布的洗布，擦车的擦车。男
tóng xué gàn huó má lì　nǚ tóng xué rèn zhēn xì zhì　dà jiā dōu zài bǐ yì bǐ　kàn shéi
同学干活麻利，女同学认真细致，大家都在比一比，看谁

cā de gānjìng
擦得干净。

wǒ kàn tóng xué men
我看同学们

gān de zhè me qǐ jìn   zì
干得这么起劲，自

jǐ hǎo xiàng lì liàng bèi
己好像力量倍

zēng   wǒ xiān bǎ mā bù
增。我先把抹布

xǐ gān jìng   cā qù chē
洗干净，擦去车

shàng de yóu nì   ránhòuyòngmiánshā cā gān   zuìnán cā de yàosuàn chēzhóu le   zhè
上 的油腻，然后用 棉纱擦干；最难擦的要算车轴了。这

lǐ de yóu nì zuì duō   yòu yǒu yì gēn gēn chē tiáo   yǎn hù   zhe   gēn běn shēn bú jìn
里的油腻最多，又有一根根车条"掩护"着，根本伸不进

shǒu   wǒ bǎ mā bù bāo zài shǒu zhǐshàng   zài bǎ shǒu zhǐshēn jìn qù   yì diǎn yì diǎn
手。我把抹布包在手指上，再把手指伸进去，一点一点

wǎng wài kōu   dào dǐ bǎ chēzhóu cā gānjìng le
往 外抠，到底把车轴擦干净了。

jìn guǎn lěngfēng cì gú   shǒu jìn zài shuǐzhōnglěng bīng bīng de   kě xiǎng qǐ zhè
尽管冷风刺骨，手浸在水中冷冰冰的，可想起这

shì wèi zì jǐ jìng ài de lǎoshī cā chē   xīn lǐ tou jiù rè hū hu de
是为自己敬爱的老师擦车，心里头就热乎乎的。

zuìhòuyào gěi lǎoshī de chē shàngdiǎn jī yóu   zhè huó er cóng lái méi gàn guò   bú
最后要给老师的车 上 点机油，这活儿从来没干过，不

shì duō le   jiù shì tài shǎo   dāngwǒ gěi chēzhóushàngyóu shí   yí bù xiǎoxīn shǒu zhǐ
是多了，就是太少。当我给车轴 上 油时，一不小心手指

huá pò le   liú chū le xuě   wǒ āi ya   yì shēng   shǒu yì tái   dǎ fān le yóu hú
划破了，流出了血，我"哎呀"一声，手一抬，打翻了油壶，

nòngzāng le kù zi   zhōngduìzhǎngtīngjiànwǒ de jiàoshēng   mángguò lái guānxīn de
弄脏了裤子。中队长听见我的叫声，忙过来关心地

wèn   yào jǐn ma   wǒ yáo le yáotóu   zhōngduìzhǎngbiàn hé wǒ yì qǐ cā le qǐ lái
问："要紧吗？"我摇了摇头。中队长便和我一起擦了起来。

chē cā wán le   chēpéng lǐ de zì xíngchēhuànrán yì xīn   yóu qí shì wú lǎoshī de
车擦完了，车棚里的自行车 焕然一新。尤其是吴老师的

chē　　shǎnshǎn fā guāng　　fǎng fú zhèngduìzhewǒxiào ne
车，闪 闪 发 光 ，仿佛 正 对着 我笑 呢。

　　měidāngwǒxiǎng qǐ wǒcéngwèiwúlǎo shīzuòguò yì diǎngòngxiàn　 xīn lǐ jiù yǒu
　　每 当 我 想 起 我 曾 为吴老师 做过 一点 贡 献，心里 就 有

shuō bù chū de gāoxìng
说 不 出 的 高兴。

名师点评

　　写一个群体活动，最难办的是：人多、事又多。怎么写呢？
有一个窍门，就是：在概述的基础上着重写一个人，一个环节。
不概述的话，就会写得片面、单调，把群体活动写成个人活动
了；但写那么多的人和事，必不能写具体，因此要把描述落实
在个别的人和事上。本文中，就把重点落实在："我擦吴老师的
车"上。

描景篇

红日东升

 辽宁　弗天宇

wǒ tè dì qǐ le gè zǎo　dēng shàng mén qián de xiǎo shān dǐng　qù guān shǎng
我特地起了个早，登上门前的小山顶，去观赏
hóng rì dōng shēng
红日东升。

wǒ jiǎn le yí kuài jiào píng zhěng de shí tou cháo dōng zuò xià　wàng ya wàng ya
我拣了一块较平整的石头朝东坐下。望呀望呀，
mànmàn de　dōng fāng fàn bái le　tiān kōng hé dà dì yě mànmàn guāng liàng qǐ lái
慢慢地，东方泛白了，天空和大地也慢慢光亮起来；
qīng de shān　lǜ de shù xiǎn chū le běn sè　yí huì er　tiān dì lián jiē chù　jiù xiàng
青的山，绿的树显出了本色。一会儿，天地连接处，就像
huà jiā zài huà zhǐ shàng huī le yì bǐ　yì mǒ hóng sè xú xú xiàng shàng huà kāi qù　zhuǎn
画家在画纸上挥了一笔，一抹红色徐徐向上化开去；转
yǎn jiān　zòng qíng de huà jiā yòng xiān hóng hé zhe jīn huáng pō sǎ qǐ lái　zhěng gè dōng
眼间，纵情的画家用鲜红和着金黄泼洒起来，整个东
fāng hóng sì huǒ　huáng sì jīn　guāng sì diàn　nà jiù shì xuàn lì de zhāo xiá
方红似火，黄似金，光似电——那就是绚丽的朝霞。

^{tàiyángzhōng yú màochū le dì píngxiàn} ^{tā fǎng fú shì pà xiū de shào nǚ} ^{xiān}
太阳 终 于 冒出 了地平线， 它 仿佛 是 怕羞 的 少女， 先

^{jǔ mù kuīshì} ^{jiē zhecái lù chūyuányuán de liǎnpáng} ^{tā tōnghóngtōnghóng dì bǎ bàn}
举目 窥视， 接着才 露出 圆 圆的 脸庞。 它 通 红 通 红 地把半

^{gè tiānkōngrǎnhóng le} ^{guǎngkuò de dà dì yě tú shàng le yì céngxiānhóng de sè cǎi}
个天空染红了， 广 阔的大地也涂 上 了一层 鲜红的色彩，

^{shù yè zài wēi fēng de chuī fú xià}
树叶在微风的吹拂下

^{shǎn shuò zhe guāng huī} ^{shù}
闪 烁着 光辉， 树

^{shàng de niǎo ér zài jī ji zhā zha}
上 的鸟儿在 唧唧喳喳

^{de míngjiào} ^{hǎoxiàng yě zàihuān}
地鸣叫， 好象 也在欢

^{hū tàiyángshēng qǐ lái le}
呼太阳 升 起来了……

^{wǒ yě bù jīn zhàn le qǐ lái}
我也不禁 站 了起来，

^{dī tóu yí kàn} ^ò ^{lián wǒ suǒ}
低头一看， 哦， 连我所

^{zhàn lì de zhè shān dǐng} ^{háiyǒu}
站立的这山顶， 还有

^{wǒ zì jǐ} ^{yě dōu bèi rǎn chéng}
我自己， 也都被染 成

^{hóng sè de}
红色的……

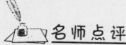
名师点评

美丽的小花园

吉林　孙睿

wǒmen xuéxiào yǒu yí zuò měi lì de xiǎo huā yuán　huā yuán lǐ yǒu shù　yǒu huā
我们学校有一座美丽的小花园，花园里有树、有花、

yǒu niǎo　yǒu cǎo
有鸟、有草。

yí bù rù huā yuán　shǒu xiān yìng rù yǎn lián de shì nà liǎng kē gāo dà de luó hàn shù
一步入花园，首先映入眼帘的是那两棵高大的罗汉树，

xiàng liǎng wèi zhàn gǎng de zhàn shì　luó hàn shù qián miàn yǒu liǎng gè xiǎo huā tán　huā
像两位站岗的战士。罗汉树前面有两个小花坛，花

tán lǐ zhòng zhe chū kǒu dōng nán yà de zǐ jīng huā
坛里种着出口东南亚的紫荆花。

huā yuán zhèng zhōng shì yí gè yòng shuǐ ní qì chéng de huā bàn xíng de dà huā tán
花园正中是一个用水泥砌成的花瓣形的大花坛。

huā tán yǒu　céng　zuì lǐ céng zhòng de yì zhǒng zhí wù　xiàng gè dà mó gu　dì èr
花坛有3层，最里层种的一种植物，像个大蘑菇。第二

céng zhòng de shì yì zhǒng
层种的是一种

yè piàn xiǎo de zhí wù
叶片小的植物。

zuì wài céng zhòng zhe yì
最外层种着一

kē yòu gāo yòu dà de xuě
棵又高又大的雪

shān　gāo de hǎo xiàng
杉。高得好像

mǎ shàng yào dǐng tiān le
马上要顶天了，

dà de yào wǒ men sān gè rén cái néng hé bào qǐ lái
大得要我们三个人才能合抱起来。

zài huā tán de yòu biān　　zhòng zhe zǐ jīng huā　　zài zǐ jīng huā yòu biān zhòng
在花坛的右边，种着紫荆花。在紫荆花右边种

zhe yì pái pái guì huā shù　　měi dào bā yuè jiān　　zhěng gè xiào yuán dōu mí màn zhe
着一排排桂花树，每到八月间，整个校园都弥漫着

yì zhǒng pū bí de fāng xiāng　　zài huā tán zuǒ biān zhòng zhe lán huā　　dōng qīng shù
一种扑鼻的芳香。在花坛左边种着兰花、冬青树

hé yì pái xiǎo xuě shān　　xiǎo xuě shān xiàng wèi shì yí yàng shǒu wèi zài huā tán
和一排小雪杉，小雪杉像卫士一样守卫在花坛

zuǒ biān
左边。

huā tán hòu miàn zhòng zhe mǔ dān　　yuè jì　　sháo yao　　méi gui　　gè zhǒng
花坛后面种着牡丹、月季、芍药、玫瑰，各种

yán sè de huā zhēng xiāng kāi fàng　　zài lǜ yóu yóu de yè cóng zhōng zhàn kāi le xiào
颜色的花争相开放，在绿油油的叶丛中绽开了笑

liǎn　　hú dié shān dòng zhe měi lì de chì bǎng zài bǎi huā cóng zhōng piān piān qǐ wǔ
脸。蝴蝶扇动着美丽的翅膀在百花丛中翩翩起舞；

xiǎo mì fēng zài fán huā lǜ yè zhōng máng zhe cǎi mì　　xiǎo niǎo zài zhī tóu xīng fèn de
小蜜蜂在繁花绿叶中忙着采蜜；小鸟在枝头兴奋地

jiào gè bù tíng
叫个不停。

dāng nǐ zài huā yuán lǐ màn bù　　jiù rú tóng lái dào le xiān jìng yì bān xīn kuàng
当你在花园里漫步，就如同来到了仙境一般心旷

shén yí
神怡。

duō měi a
多美啊！

名师点评

围绕着花坛，按方位介绍了小花园里种植的花木。花坛是
核心，详写了它的构造和花草。

雨中的荷塘

湖北 王冠一

yì tiān xià wǔ　wǒ hé māma lái dào zǐ zhú yuàn gōng yuán　méi xiǎng dào bù yí huì
一天下午，我和妈妈来到紫竹院 公 园，没 想 到不一会

er　tiān jiù xià qǐ yǔ lái　māmajiàn yì　wǒmen qù kànkan hé huā ba
儿，天就下起雨来，妈妈建议："我 们 去 看看荷花吧！"

wǒmen lái dào hú biān　dǎ zhe yǔ sǎn zuò le xià lái　guānshǎng hé huā　yǔ diǎn
我 们 来到湖边，打着雨伞坐了下来，观 赏 荷花。雨点

luò zài hú miàn shàng　xiàng wú shù tiáo xiǎo yú zài shuǐ zhōng tǔ pào pao　yǔ dī zài hé yè
落在湖面 上 ，像无数条小鱼在水 中 吐泡泡。雨滴在荷叶

shàng　xiàng guāng jié　shǎn liàng de zhēn zhū　sǎn luò zài fěi cuì pán zhōng　zhū zi
上 ，像 光 洁、闪 亮 的珍珠，散落在翡翠盘 中 。珠子

yuè gǔn yuè dà　zuì hòu biàn chéng le yì pán shuǐ yín　hé yè chéng shòu bù liǎo la
越滚越大，最后变 成 了一盘水银。荷叶 承 受不了啦，

dōng yáo xī huàng qǐ lái　wān xià
东 摇西晃起来，弯下

le yāo　huā　yí dào dào
了腰，"哗——"一道道

shuǐ yín zhù luò le xià lái
水银柱落了下来。

cǐ shí de gōng yuán yì cháng
此时的公 园异 常

ān jìng　zhǐ tīng jiàn　huā huā
安静，只听见"哗哗"

de yǔ shēng　tū rán　bù zhī cóng nǎ lái de yì zhī xiǎo má què luò zài hé yè shàng　zhèn
的雨 声 。突然，不知从 哪来的一只小麻雀落在荷叶 上 ，震

de hé yè lái huí bǎi dòng　má què yòu jīng huāng de fēi zǒu le　xiāo shī zài máng máng de
得荷叶来回摆 动 ，麻雀又惊 慌 地飞走了，消 失在茫 茫 的

雨雾中。我往远处一看，不由惊奇地喊道："妈妈！你看，那边有片像蘑菇似的荷叶。"妈妈顺着我手指的方向望去，说："咦，真的!"这片荷叶四边下垂，只见中间托着一点水，盛不下了，就流了出来，但总流不尽，泛着白光，一漾一漾的，真好玩。

真没想到，雨中的荷塘是这么美。

 ### 名师点评

雨中的荷塘，别有一番景象，表现在动态上。除了雨点落在水面的景象外，作文重点描写雨水积在荷叶上。当荷叶承受不了时，那倾倒的状态。它把荷叶比作翡翠盘子，先把荷叶上滴滴的雨水比做珍珠；滚大以后，又比做"一盘水银"；倾倒时又比作水银柱，这些比喻很贴切。

 # 大雨来了

上海 吴晔云

下午放学，我背着书包走出校门。突然，天空乌云密布，一会儿又刮起了大风，好像要下大雨了。路上的行人急急忙忙地往家赶。哗哗哗，大雨来了。大雨像决了堤的天河水从天上倒下来，巷子里马上成了水的世界，地下溅起了一个个大水泡。天上还打起了响雷，好像要把我的耳朵震聋似的。我赶紧捂着耳朵躲进屋里。

名师点评

小作者把这下雨的情景，描绘得有声有色，可见她不仅图观察得细致，对生活也能做到认真观察。

看　海

上海　钱天宇

我经常听别人说大海非常美丽，总想去看个真切。

我的愿望终于实现了，爸爸答应我今年暑假带我去北戴河玩。

来到北戴河，我站在海边极目远望，大海在阳光的照耀下，发出晶莹的光芒，茫茫的海水跟蓝天相接连成了一片，浪花一个接着一个，从远处滚来，你追我

gǎn hǎo xiàng zài sài
赶，好像在赛
pǎo yòu hǎo xiàng zài
跑，又好像在
zhuī zhú xī xì rén men
追逐嬉戏。人们
xìng qù àng rán yǒu de
兴趣盎然，有的
xī shuǐ yǒu de qián shuǐ
嬉水，有的潜水
yóu yǒng lán tiān shàng
游泳。蓝天上
piāo fú zhe bái yún hǎi
漂浮着白云，海
miàn shàng měi lì de hǎi
面上美丽的海

ōu zhǎn chì áo xiáng huān xiào de rén men míng dí de chuán zhī huì chéng le jìng
鸥展翅翱翔。欢笑的人们，鸣笛的船只，绘成了静
zhōng yǒu dòng dòng zhōng hán jìng de zhuàng lì jǐng guān
中有动，动中含静的壮丽景观。

chī guò wǎn fàn wǒ men màn bù zài shā tān shàng róu hé de yuè guāng zhào
吃过晚饭，我们漫步在沙滩上，柔和的月光照
zài hǎi miàn shàng nà yì qǐ yì fú de bō làng fā chū yǒu jié zòu de huā huā shēng
在海面上，那一起一伏的波浪发出有节奏的哗哗声，
bù shí de chōng xiàng shā tān hǎi tān shàng de rén men yǒu de zài sàn bù yǒu de
不时地冲向沙滩。海滩上的人们有的在散步，有的
zài xīn shǎng hǎi biān de yè jǐng yǒu de zài yuè guāng xià làng shēng lǐ chuī
在欣赏海边的夜景，有的在月光下、浪声里吹
dí zi
笛子。

chū cì kàn dào dà hǎi gěi wǒ zuì shēn de yìn xiàng jiù shì dà hǎi měi lì guǎng
初次看到大海，给我最深的印象就是：大海美丽，广
kuò wú biān xiàng yì fú měi lì de huà juàn shí kè zài xī yǐn zhe wǒ lìng wǒ liú lián
阔、无边，像一幅美丽的画卷，时刻在吸引着我，令我流连
wàng fǎn
忘返。

名师点评

作文写大海的印象是文尾的那句话:"像一幅美丽的画卷"。这个概括是来自于前面写的许许多多的画面:有描述海浪的,有赞叹海阔天空的,有写人们的种种动态、神情的。像文中所述的"绘成了静中有动,动中含静的壮丽景观"。这就是这幅画卷的特色。

晚　霞

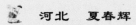
河北　夏春辉

huáng hūn shí fēn　wǒ zài shān jiǎo biān de hé táng páng kàn wǎn xiá　wǒ bèi tiān
黄昏时分,我在山脚边的河塘旁看晚霞。我被天

kōng zhōng hǎn jiàn de qí jǐng suǒ táo zuì
空中罕见的奇景所陶醉。

zhǐ jiàn yí miàn huǒ hóng shì dān de dà yuán jìng　bǎ tiān kōng zhào de fēi hóng
只见一面火红似丹的大圆镜,把天空照得绯红,

hóng de xiàng yì lú rán
红得像一炉燃

shāo de méi　hóng de
烧的煤,红得

xiàng yí piàn shèng kāi de
像一片盛开的

méi guì　shà shí　yǒu
玫瑰。霎时,有

jǐ zhī　xiǎo mián
几只"小绵

yáng　xiǎng qù xì nòng
羊"想去戏弄

夕阳时被套上"紧箍咒"。任凭它怎么调皮精灵，还是乖乖地随着红球西沉。

突然，有几条"黑蝌蚪"飘游过来，刚跃入红海中，刹那间，摇身一变，披上了一件红外衣，红外衣上点缀着淡淡的金光。很快，蝌蚪又被一堵微红色泛黄的围墙包围起来，只见围墙里闪烁着青的、蓝的、紫的、绿的、火红的、金黄的光彩，就像一个神奇的聚宝盆，好像里面有取不完的金银宝石，珍珠玛瑙似的。

看！在聚宝盆相对的右下方，又有一番壮丽的美景。那一团簇拥着的淡金黄云，犹如黄河的源头，云中间那隐隐约约的线条，透着灰银色，泛着枣红光。真有"黄河之水天上来，奔流到海不复回"之感。

瞧！西半边天的几团雾云状云朵，像技艺高超的魔术师，随着空中淡蓝色的云幕展开，通过舞台上的"脚灯"闪耀，不断变幻出橘红、粉红、浅红、淡紫和微黄的色彩，那橘红的像独角兽，那粉红的像比目鱼，那浅红的像三足马，那淡紫色的像四大金刚，那微红的像五指峰。嘿，其边缘上还散发出许许多多的细小

de guāng sù　　　bǎ nà xiē yán sè dié lǒng lái　　yòu xiàng kāi píng de měi lì de kǒng què
的 光 束。把那些颜色叠拢来，又 像 开屏的美丽的孔雀。

　　wǒ ài wǎn xiá fēng fù de sè cǎi　　wǒ gèng ài wǎn xiá ràng wǒ táo zuì zài tóng huà bān
　　我爱晚霞丰富的色彩，我 更 爱晚霞让我陶醉在童话般

de shì jiè lǐ
的世界里。

 名师点评

　　小作者较丰富的想象力，给变幻莫测的云彩和晚霞编织出一个个美丽的童话故事，洋洋洒洒把这"天空中罕见的奇景"描绘得淋漓尽致。

 # 乡村的清晨

 湖北　黄　卓

　　shǔ jià lǐ　　wǒ lái dào nóng cūn de wài pó jiā
　　暑假里，我来到 农 村的外婆家。

　　dì èr tiān　　tiān biān gāng fàn qǐ yú dù bái　　wǒ jiù qǐ chuáng lái dào le yuàn zi
　　第二天，天边 刚 泛起鱼肚白，我就起 床 来到了院子。

zhōu wéi shí fēn jì jìng　　kōng qì tè bié xīn xiān　　wǒ dà kǒu dà kǒu de xī zhe zhè dài yǒu ní
周 围十分寂静，空 气特别新鲜。我大口大口地吸着这带有泥

tǔ fāng xiāng de kōng qì　　duō shū fu a　　zhè shí　　gōng jǐ de dì yì shēng tí míng bǎ
土芳 香 的空 气，多舒服啊！这时，公鸡的第一 声 啼鸣把

rén men cóng mèng lǐ huàn xǐng　　màn màn de　　tài yáng tòu chū de dì yì sī guāng liàng
人们从 梦里唤醒。慢慢地，太阳透出的第一丝光 亮

qiāo qiāo de lā kāi le yì tiān de xù mù　　yí huì er　　dōng fāng jīn càn càn de yí piàn　　huǒ
悄 悄地拉开了一天的序幕。一会儿，东 方金灿灿的一片。火

hóng de zhāo xiá yìng hóng le dà dì　　mén qián nà tiáo kuān kuò de mǎ lù shàng rè nào qǐ
红的朝霞映 红了大地。门前那条 宽 阔的马路 上 热闹起

来：只见马路的两旁摆开了各式小摊，有卖白菜的、卖毛豆的、还有卖玉米的。车铃声和叫卖声混杂在一起，像一曲交响乐。吃完早饭，我来到后院。真想不到，几年没来，这里竟成了我们的花

园。花园里最醒目的是已结了淡青色果实的枣树。它的旁边有个丝瓜藤，碧绿的叶子下面挂着一条条又嫩又长的丝瓜，花架上盛开着一朵朵紫色的喇叭花，后院的地里种满了凤仙花、月季花、夜来香……花草叶片上的露珠，在阳光的照耀下闪闪发亮。我小心谨慎地掐下一片叶子，让露珠滚进嘴里。嘿！清凉极了。

远处有条小溪，我慢慢地向溪边踱去……

 名师点评

文章写出了太阳初出时乡村的美景和集市的热闹，还描述了后院的美丽，语言优美，表达了作者喜悦的心情。

云

四川　胡利珊

báo yún piāo yì
薄云飘逸

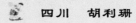

tiān xiàng bǎo shí yì bān lán de tòu míng nà lǚ lǚ yún sī wǎn rú niǎo niǎo
天，像宝石一般，蓝得透明。那缕缕云丝，宛如袅袅

de chuī yān zài màn màn de piāo dòng zhè kuài kuài báo yún zài lán tiān shàng fú yí
的炊烟，在慢慢地飘动。这块块薄云，在蓝天上浮移。

bù báo yún shì duǒ duǒ bái lián lán tiān shì yì hú bì shuǐ bái lián shèng kāi zài hú zhōng
不，薄云是朵朵白莲，蓝天是一湖碧水：白莲盛开在湖中，

bì shuǐ zài huǎn huǎn liú dòng
碧水在缓缓流动。

yún mǎn tiān
云满天

xuě bái de yún kuài yì tuán
雪白的云块，一团

yì tuán kàn lái bǐ mián huā hái
一团，看来比棉花还

róu ruǎn
柔软。

jiǎ rú tiān kōng shì wú biān wú jì de dà hǎi nà me tuán tuán bái yún shì yí gè gè
假如天空是无边无际的大海，那么，团团白云是一个个

dǎo yǔ sì zhōu huán rào zhe qīng chè de hǎi shuǐ
岛屿，四周环绕着清澈的海水。

yún kuài bú duàn de zēng duō yòu hù xiāng yí jìn jǐn āi zài yì qǐ tā men
云块不断地增多，又互相移近，紧挨在一起，它们

zhōng jiān de lán tiān kàn bú jiàn le jiù xiàng píng jìng de hǎi miàn shàng hū rán qǐ le dà
中间的蓝天看不见了。就像平静的海面上忽然起了大

fēng　dùnshíbáilàngtāotāo　dǎo yǔ yí gè yě kàn bú jiàn le　yě xǔ dōu yān mò zài zhè
风，顿时白浪滔滔。岛屿一个也看不见了，也许都淹没在这

bōtāozhōng le
波涛中了。

wūyúngǔngǔn
乌云滚滚

bàngwǎn　tiānkōnghuīméngméng　chéndiàndiàn de　yuèzhuìyuè dī　yán sè
傍晚，天空灰蒙蒙、沉甸甸的，越坠越低。颜色

yóuhuībiànhēi　zhǎyǎngōng fū　zhè li　nà li yǒngchū yí dà tuán yí dà tuán de wū
由灰变黑。眨眼工夫，这里，那里涌出一大团一大团的乌

yún lái　yǒu de xiàng wū lóng qīng mǎng　yǒu de xiàng hēi xióng huī xīng　yǒu de xiàng
云来：有的像乌龙青蟒，有的像黑熊灰猩！有的像

xiōngshén è shà　zài bēn pǎo zhe　zhuī zhú zhe　fān gǔn zhe
凶神恶煞……在奔跑着、追逐着、翻滚着……

名师点评

　　这篇作文是用三个片段组合起来的，分别写了三种云。薄云给人轻盈的感觉；团云给人浑重的感觉；乌云给人恐怖的感觉。因分别来写，各自独立，所以很醒目。又因为作者有很强的想象能力，善于运用贴切的比喻，使人感受很具体。

冰 花

北京　韩 璐

zǎochén　fēng tíng le　wǒ qǐ chuáng qù lā chuāng lián shí　fā xiàn le bō lí
早晨，风停了，我起床去拉窗帘时，发现了玻璃

chuāngshàng jié le yì céngbīnghuā　tā yǒu gè zhǒng gè yàng de tú àn　kě měi le
窗上结了一层冰花。它有各种各样的图案，可美了！

nǐ kàn　nà kuài bō lí shàng de bīnghuā　shì céng céng dié dié de gāo shān　nà
你看，那块玻璃上的冰花，似层层叠叠的高山。那

gāoshān de xié pō shàng sì hū zhǎng mǎn le cǎo
高山的斜坡上似乎长满了草，

háiyǒu mào mì de sōng lín　jìn chù　yì kē sōng
还有茂密的松林。近处，一棵松

shù shēn chū shǒu bì　xiǎn de cāng jìn yǒu lì
树伸出手臂，显得苍劲有力。

shān dǐng shàng　yí wèi jiě fàng jūn zhàn shì shǒu
山顶上，一位解放军战士手

wò gāng qiāng　bǐ zhí de zhàn zài nà li
握钢枪，笔直地站在那里。

zhè yí kuài bō lí de bīng huā jiù gèng yǒu qù
这一块玻璃的冰花就更有趣

le　shàng bù shì xiàn tiáo xiù měi de shān fēng
了。上部是线条秀美的山峰，

shān jiǎo xià　yì zhī kǒng què zài kāi píng　sì hū yào xiàng wǒ xiǎn shì zì jǐ de měi lì
山脚下，一只孔雀在开屏，似乎要向我显示自己的美丽。

tā de páng biān　yòu xiàng shì shù zhī　yòu xiàng shì lù jiǎo　yòu xiàng hǎi dǐ bái sè de
它的旁边，又像是树枝，又像是鹿角，又像海底白色的

shān hú
珊瑚……

wǒ zài xīn shǎng zhe　xiǎng xiàng zhe　tài yáng shēng qǐ lái　yáng guāng zhào zài
我在欣赏着，想象着。太阳升起来，阳光照在

bō lí shàng　bīng huā hěn kuài jiù róng huà chéng yì xiē xiǎo xiǎo de shuǐ zhū　liú tǎng xià
玻璃上，冰花很快就融化成一些小小的水珠，流淌下

lái　nà xiē hái méi yǒu liú xià lái de shuǐ zhū　bèi yáng guāng yí zhào　hái shǎn shǎn fā
来；那些还没有流下来的水珠，被阳光一照，还闪闪发

guāng ne
光呢！

 名师点评

　　窗上的冰花，像高山、松林，像孔雀开屏，显然全是小作者主观的想象。想得美，文章也美了。这窗上的冰花成了一幅美丽的活的图画。

雾

江苏 何 斌

清早，我走出院外，只见大雾笼罩着整个大地，一切都白茫茫的。那远处的青山，隐隐约约的，像一条龙在腾云驾雾；近处绿的草地上、庄稼上，撒满了一颗颗珍珠似的露珠，好像要掉下来。太阳出来了，透过浓雾看去，呵，它红彤彤的，像一只大皮球在天上。

过了些时候，雾悄悄地走了，万物铺上了一层棉被子，只有露珠在阳光下晶莹闪亮。

名师点评

小作者能把雾中特有的景物写得这么生动形象，真是难能可贵。

探访浦东机场

广东 黄杰阳

浦东机场虽还未全部建成，但它在人们心中已留下了美好的印象。

那彩虹般的环形大道围绕着浦东机场，今后，空港巴士班车将把旅客从市区送达机场，并通过迎宾大道，直接停在机场大楼的第三层。乘客可直接进入出发大厅，方便地办理登机手续。进入第三层的出发大厅，一眼望去，顿觉明亮舒畅。出发大厅全部用透明玻璃采光，深蓝色弧线波形吊灯、乳白色圆柱形钢管与大斜面透光玻璃，构架出总面积27.8万平方米的现代风格的大跨度空间。出发大厅有8个"办票岛"，为

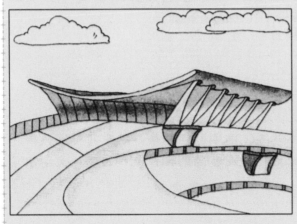

乘客办理登机手续的柜台共有192个。再往前走，将是6万平方米的餐饮、购物商店等；走过两个各为54米宽的廊道，乘自动扶梯下到第2层，1374米的登机长廊设有几十个登机门，乘客可通过它们分别进入28个登机桥上飞机。

而到达机场的乘客在通过登机桥后，转乘自动斜梯来到底层，机场共有133台自动斜梯和自动平面步道。底层有13个行李提取转盘，旅客提取行李后在大门外即可上车；大门正前方有一个三层车库，同时可停放3460辆车；如果班机发生误点，机场还设有"钟点旅馆"和一座三星级的宾馆为旅客提供方便……

夜幕降临，华灯齐放，使规划占地32平方公里的航空城恰似"夜明珠"，美不胜收。

 名师点评

虽然浦东机场尚未竣工，但已初露英姿。文章介绍了机场的外围、环形大道、出发大厅及各项服务设施；另外，文中引用一系列具体的数字，增添了文章的可信度。

家乡的小河

 天津 张 颜

wǒ de jiā xiāng yǒu tiáo qīng chè de xiǎo hé
我的家乡有条清澈的小河。

yí zhèn fēng chuī guò hé miàn hé miàn shàng lì jí dàng qǐ le yì quān quān de lián
一阵风吹过河面，河面上立即荡起了一圈圈的涟

yī zài yáng guāng de zhào shè xià hé miàn liàng shǎn shǎn de yì zhī xiǎo niǎo zuān
漪，在阳光的照射下，河面亮闪闪的。一只小鸟钻

chū shuǐ miàn pāi zhe chì bǎng tiào dào hé àn shàng jīn jīn yǒu wèi de chī zhe yì tiáo yú
出水面，拍着翅膀跳到河岸上津津有味地吃着一条鱼。

xiǎo hé qīng chè hé lǐ de xiǎo yú zì yóu zì zài de yóu dòng zhe yǒu de xiǎo yú bǎi
小河清澈，河里的小鱼自由自在地游动着。有的小鱼摆

dòng zhe wěi ba yǒu de xiǎo yú zài shuǐ cǎo zhōng chuān lái chuān qù
动着尾巴，有的小鱼在水草中穿来穿去。

yǒu liǎng wèi ā yí zài xiǎo hé biān xǐ yī fu biān xǐ yī fu biān liáo tiān bàng dǎ
有两位阿姨在小河边洗衣服，边洗衣服边聊天，棒打

yī fu jiàn qǐ de xiǎo shuǐ zhū
衣服溅起的小水珠，

hǎo xiàng kē kē shǎn guāng de
好像颗颗闪光的

xiǎo zhēn zhū
小珍珠。

jiā xiāng de xiǎo hé nǐ
家乡的小河，你

duō me měi lì duō me kě
多么美丽、多么可

ài a
爱啊！

名师点评

小作者语言细致。把小河写得活泼亮丽，尤其是水中的小鱼和小草写得非常生动。

歌德故居

浙江 池瑶瑶

gē dé gù jū wèi yú dé guó wèi mǎ shì jìng nèi shì yí zuò chéng huáng sè de liǎng céng
歌德故居位于德国魏玛市境内，是一座橙黄色的两层

lóu fáng tā shǐ jiàn yú nián gē dé yú zài cǐ jū zhù le nián zhī jiǔ
楼房。它始建于1709年。歌德于1782在此居住了50年之久。

gù jū nèi de bǎi shè réng rán bǎo chí dāng nián de yuán yàng zhè zhuàng jiàn zhù fēn
故居内的摆设仍然保持当年的原样。这幢建筑分

wéi liǎng céng dǐ céng shì kè tīng hé yīn yuè tīng fáng jiān kuān chǎng chén shè jiǎng
为两层：底层是客厅和音乐厅。房间宽敞，陈设讲

jiū zhuāng shì jīng měi bǎi fàng zhe gē dé shōu jí de gè zhǒng cí qì míng huà hé diāo
究，装饰精美，摆放着歌德收集的各种瓷器、名画和雕

sù èr lóu shì gē dé de qǐ jū shì
塑。二楼是歌德的起居室

hé gōng zuò shì gōng zuò shì zhǐ
和工作室。工作室只

yǒu yí gè xiǎo chuāng kào
有一个小窗，靠

chuāng yǒu yì zhāng mù zhuō
窗有一张木桌，

gē dé céng fú àn zài cǐ gōng zuò
歌德曾伏案在此工作，

wánchéng le tā zuìwěidà de zhùzuò fú shì dé gōngzuòshì gé bì shì gē dé de wò
完 成 了他最伟大的著作《浮士德》。工 作室隔壁是歌德的卧

shì wòshìshífēnxiázhǎi shìnèizhǐyǒumùchuáng hé shūzhuō chuángtóufàngzhe yì
室，卧室十分狭窄，室内只有木 床 和书桌。 床 头放着一

bǎmùzhì fú shǒu yǐ nián yuè rì gē dé jiù shìzuòzàizhèmù yǐ shàngyǔ
把木制扶手椅。1832 年 3 月 22 日，歌德就是坐在这木椅 上 与

shìcháng cí de
世 长 辞的。

　　gù jū nèi hái shōu cáng yǒu gē dé shēng qián de shǒu gǎo xìn jiàn hé cè
故居内还收 藏 有歌德生 前的手稿、信件和6000 册

cángshū
藏 书。

名师点评

　　写故居，一定要仔细观察。作者正是通过认真观察，按地点顺序，从一楼到二楼对歌德故居的陈设、布局作了详细的介绍，使文章显得具体生动，有条理。

小湖风光

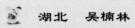

湖北　吴楠林

chūxiǎozhènliǎng lǐ duō lù yǒu yí gèxiǎo hú hú shuǐ yì nián sì jì zǒngshì nà
出小镇 两里多路，有一个小湖。湖水一年四季 总是那

meqīng lín lín měidàoxià jì hú li cóngméiduànguòrén
么清粼粼。每到夏季，湖里从没断过人。

　　zhètiān tiān qì duōmeqínglǎng yángguāngsǎ zàifànzhe lín lín wén de shuǐmiàn
这天，天气多么晴朗。阳 光 洒在泛着粼粼纹的水面

shàng fǎng fú shì nǎ wèishénxiāngěixiǎo hú sǎ xià le shǔ bù qīng de suì jīn xiǎo hú duì
上，仿佛是哪位神仙给小湖撒下了数不清的碎金。小湖对

岸，形象各异的山石，郁郁葱葱的树林，别具一格的小房，蔚蓝色的天空，棉花似的白云，一股脑儿倒映在水里，犹如一幅色彩艳丽的画卷。

小朋友们是小湖的常客。你看你们玩得多欢！划船的悠闲自得，一边划桨，一边唱歌。桨儿划开水面，船儿缓缓向前，歌声荡在小船上空。游泳的摆动双臂，似乎在"劈波斩浪"，奋力前进。一个小朋友取下头上的帽子，向岸边岸石上的一个小朋友挥动着，好像在说："快下来吧，这水多凉爽啊！"站在岸边岩石上的一个小朋友和他的伙伴刚刚作完画，他正要下去享受享受呢，于是，举起右手，回答他手中的伙伴。

你看，那幅湖光山色水彩画画得多逼真啊！看样子，他们已画了很长时间了。他们要把这小湖风光永远留

xià lái　liú zài zì jǐ de nǎohǎi lǐ　liú zài rénmen de xīnzhōng
下来，留在自己的脑海里，留在人们的心中。

名师点评

　　小湖仿佛嵌在山中，湖水映着蓝天、白天，映着山石、树林，映着小朋友们的身影，融进孩子的歌声、笑声。多美的画卷！多可爱的小湖风光！小作者描写景物有静有动，动静结合；有景有情，情景交融。

乡村小景

上海　潘敬锋

xiàwǔ　bà ba mā ma dài wǒ dào xiāng xià wáng shū shu jiā qù　wǒ dì yí cì dào
下午，爸爸妈妈带我到乡下王叔叔家去。我第一次到
nóngcūn　gǎn dào xīnxiān jí le　yí wàng wú biān de tián yě shàng　yǒu jīn huáng de
农村，感到新鲜极了。一望无边的田野上，有金黄的
dào zi　yǒu lǜ yóuyóu de shūcài　jīngguò wānwān qū qū de xiǎo hé shí　wǒ kàn dào hé
稻子，有绿油油的蔬菜。经过弯弯曲曲的小河时，我看到河

lǐ yóuzhe xǔ duō hóng zuǐ báimáo de é　lì kè xiǎng qǐ le yì shǒu shī　é é
里游着许多红嘴白毛的鹅，立刻想起了一首诗："鹅，鹅，
é　qū xiàng xiàng tiān gē　báimáo fú lǜ shuǐ　hóng zhǎng bō qīng bō　wǒ yí miàn
鹅，曲项向天歌。白毛浮绿水，红掌拨清波。"我一面

dà shēng bēi shī　yí miàn xiàng bái é lián lián zhāo shǒu
大声背诗，一面向白鹅连连招手。

yí wèi nóngmín qiān le yí tiáo dà shuǐniú　shuǐniú shēn zi pàngpang de　xiàng
　　一位农民牵了一条大水牛。水牛身子胖胖的，像
gōngyuán lǐ de xiǎoxiàng
公园里的小象。

hū rán wǒ kàn dào yì
忽然，我看到一
zhī kě ài de xiǎo yáng zì yóu
只可爱的小羊自由
zì zài de zài tián biān dī tóu chī
自在地在田边低头吃
cǎo wǒ xīng fèn de dà jiào
草，我兴奋地大叫：
miē miē miē
"咩，咩，咩——"
nóng cūn de jǐng sè zhēn
农村的景色真
měi zhēn hǎo wán
美，真好玩。

 ## 名师点评

> 文章能细致描绘出景物，尤其是对鹅、牛、羊的描写，形象、生动。诗句的引用恰到好处。

崭新的虹口足球场

上海　张翌坤

jù yǒu nián lì shǐ de shàng hǎi shì hóng kǒu tǐ yù chǎng fān kāi le zhǎn xīn de yí
具有46年历史的上海市虹口体育场翻开了崭新的一
yè wǒ guó dì yī gè zhuān yè xìng de zú qiú chǎng hóng kǒu zú qiú chǎng yú jìn rì
页，我国第一个专业性的足球场——虹口足球场于近日
zhèng shì luò chéng shēn chuān rǔ bái sè wài yī de zú qiú chǎng chuàng zào le wǒ guó
正式落成。身穿乳白色外衣的足球场。创造了我国
tǐ yù chǎng guǎn jiàn zhù de xǔ duō xīn jì lù
体育场馆建筑的许多"新纪录"：

1. 时间短，花费少。新的足球场仅用了一年的时间就建造完成。按一般情况，这样一类专业的体育场要花三年才能建造好。另外，建设者们精打细算，节约了近一半的经费。

2. 容量大，功能齐。可容纳35000

名观众的虹口足球场周围没有跑道，使观众与球员的距离拉近了。为了安全、方便地疏散观众，足球场除球场大门外，还增加了两条出路。一是与鲁迅公园连为一体，让观众散场时能从公园走；二是观众平台和建设中的轻轨明珠线站台直接相连。此外，新的足球场还拥有市内、室外两块热身场地，4个运动员休息室和2个裁判休息室等。虹口足球场完全有能力举办国际足球赛事。

3. 新草坪，保恒温。场地采用地加温草坪，这在

guónèi háishì shǒuchuàng shénme jiào de jiā wēn ne yuánlái zài cǎopíng xiàmiàn
国内还是首创。什么叫地加温呢？原来，在草坪下面，

pūshè le gōng lǐ cháng de shuǐguǎn jiāng jiā wēn de shuǐ bù duàn xún huán shǐ
铺设了40公里长的水管，将加温的水不断循环，使

cǎopíng de wēn dù shǐzhōng bǎochízài shèshì dù zuǒyòu
草坪的温度始终保持在30摄氏度左右。

名师点评

作者介绍虹口足球场，用了三个小标题分别从三个方面加以介绍，这三个小标题画龙点睛，言简意赅地写出了虹口足球场的特点，然后分别加以具体描述，虹口足球场的现代风采就清晰地展现在我们面前了。

宋庆龄陵园

　海南　张萍

sòngqìnglíng líng yuán zuò luò zài shànghǎi xī qū de língyuán lù shàng dà ménwèi
宋庆龄陵园坐落在上海西区的陵园路上，大门位

yú língyuán dōngbù běicè qiángshàngyǒu hànbái yù kè de jīn zì yuánpái zhōnghuá
于陵园东部，北侧墙上有汉白玉刻的金字园牌："中华

rénmíngòng hé guómíng yù zhǔ xí sòngqìnglíng líng yuán sòngqìnglíng jì niàn bēichù
人民共和国名誉主席宋庆龄陵园"。宋庆龄纪念碑矗

lì zài língyuán dà dào de zhōngyāng bēishēn shì qīnghēi sè bēizuò wéizǎohóng sè
立在陵园大道的中央，碑身是青黑色，碑座为枣红色，

qí zhèngmiàn kè zhe dèngxiǎopíng tí xiě de ài guózhǔ yì mínzhǔzhǔ yì guó jì
其正面刻着邓小平题写的"爱国主义、民主主义、国际

zhǔ yì gòngchǎnzhǔ yì de wěi dà zhàn shì sòngqìnglíng tóng zhì yǒngchuí bù xiǔ bēi
主义、共产主义的伟大战士宋庆龄同志永垂不朽"。碑

de bēimiàn shì qiàn jīn de kǎishū bēiwén gàishù le sòngqìnglíng nǎinai guānghuī de yì
的背面是嵌金的楷书碑文，概述了宋庆龄奶奶光辉的一

shēng huāgǎngshíwòshìmùbēi jí mù de zhōuwéichénshèzhe sòngqìnglíngshēngqián
生。花岗石卧式墓碑及墓的周围陈设着宋庆龄生前

xǐ ài de lánhuā dù
喜爱的兰花、杜

juān hé yù jīn xiāng
鹃和郁金香。

jī shí de xiǎo pō
基石的小坡

shàng zhǒng yǒu
上，种有

chángqīngshù
常青树。

mù dì qián de jì
墓地前的纪

niànguǎngchǎngběiduānzhōngyāngyǒusòngqìnglíngnǎinai de hànbái yù diāoxiàng tā
念广场北端中央有宋庆龄奶奶的汉白玉雕像，她

shēnchuān qí páo jí chūfǎng sī lǐ lán kǎ shíchuān de yuán fānlǐngshàng yī tóushàng
身穿旗袍及出访斯里兰卡时穿的圆翻领上衣，头上

fà xíngshì tā shēngqián xí guànshū lǐ de fà jì shuāngshǒujiāochākòudié miànhán
发型是她生前习惯梳理的发髻，双手交叉扣叠，面含

wēixiào xiǎnshì le sòngqìnglíngnǎinai tè yǒu de qì zhì hé fēng dù
微笑，显示了宋庆龄奶奶特有的气质和风度。

jiānyìng de huāgǎng shíbēi jié báiwú xiá de dà lǐ shídiāoxiàng cāngcuìtǐng bá
坚硬的花岗石碑、洁白无瑕的大理石雕像、苍翠挺拔

de lóng bǎi wú bù xiàng zhēng zhe sòng qìng líng nǎi nai de gāo fēng liàng jié yǒngchuí
的龙柏无不象征着宋庆龄奶奶的高风亮节，永垂

qiān gǔ
千古。

 名师点评

　　写好宋庆龄陵园，首先应充满对宋奶奶的崇敬与爱戴。而作者不论是对墓碑的介绍还是对宋奶奶塑像的介绍，字里行间都流露出这样一种感情。

风景如画的乡村

江苏 郭 海

chūn fēng chuī chūn fēng chuī chūn fēng chuī huà le bīng xuě chuī lái le yàn
春风吹，春风吹，春 风 吹化了冰雪，吹来了燕

zi chuī hóng le táo huā chuī lǜ le liǔ yè dào chù dōu shì shēng jī bó bó de jǐng
子，吹红了桃花，吹绿了柳叶，到处都是 生 机勃勃的景

xiàng tīng māma shuō xiāngcūn de chūntiān zuì měi yí gè xīng qī liù de xià wǔ wǒ
象，听妈妈说，乡村的春天最美。一个星期六的下午，我

chǎozheyào māma dài wǒ dào xiāng xià de jiù mā jiā qù māma dāying le
吵着要妈妈带我到 乡 下的舅妈家去。妈妈答应了。

dì èr tiāntiān yí liàng wǒ jiù cuīzhe bǐ wǒ xiǎo suì de biǎo mèi kuài qǐ chuáng
第二天天一亮，我就催着比我小 3 岁的表妹快起 床。

wǒmen shū xǐ wán bì jiù chūmén
我们梳洗完毕就出门

le rè qíng hào kè de biǎo mèi
了，热情好客的表妹

chéng le wǒ men de xiàng dǎo
成了我们的向导。

zǒu dào cūn kǒu yǎn qián huò rán
走到村口，眼前豁然

kāi lǎng gā gā gā
开朗。"嘎，嘎，嘎！"

jǐ shēng zhì nèn de xiǎo yā jiào
几 声 稚嫩的小鸭叫

shēng bǎ wǒmen yǐn dào yì tiáo xiǎo xī biān biǎo mèi pà bǎ xiǎo yā xià pǎo le shì yì
声 把我们引到一条小溪边。表妹怕把小鸭吓跑了，示意

ràng wǒmen tíng xià jiǎo bù zì jǐ dūn le xià lái yǎnjing yì zhǎ yě bù zhǎ de wàngzhe xī
让我们停下脚步；自己蹲了下来，眼睛一眨也不眨地 望 着溪

中的小鸭，好像她也是第一次来似的。溪水多清啊，溪底的小圆石一颗一颗，视而可见。几只黄茸茸的小鸭不停地摆着嫩黄色的小脚掌，排成整齐的队伍顺水而下。领头的那只可能是队长吧！你看它挺胸抬头，把握航向，还嘎嘎地喊着口号呢！它们这是要到哪里去远航呢？

溪边的各色小花被朝阳染得更加鲜艳，几朵小蘑菇，仿佛要与花儿比美、比高。一朵比一朵漂亮，一朵比一朵高大。我被眼前的一切迷住了，已迈开的脚竟然不知道要收拢。

"小海，你看溪的那边！"妈妈的话提醒了我。我顺着妈妈指的方向望去，哇，多美的图画！远处已换上绿装的群山连绵起伏。山前，绿油油的草地一眼望不到尽头。牛儿正低着头，专心致志地吃着那嫩绿的小草，偶尔抬起头，对着天空长"哞"一声，好像在说："谢谢你，春天！谢谢你，草地！"表妹告诉我，他们村子的牛最勤劳，最能干：奶牛产奶多，黄牛耕地多。我边听边点头。

一阵风吹来，好舒服啊！我望着这红的花，绿的草，

féizhuàng de niú er   kě ài de xiǎo jī   tīng zhe nà cóngcóng de liú shuǐshēng   zhēn
肥 壮 的牛儿，可爱的小鸡，听着那淙 淙 的流水 声 ，真

xiǎnggāo gē yì qū   měi lì   xiāngcūn   měi lì
想 高歌一曲：美丽！乡 村，美丽！

 ## 名师点评

　　小作者以视角转换来组织安排材料，使文章条理清晰，层次分明。

　　作者笔触细腻，感情丰富，自己对乡村的热爱溢于字里行间。文章结尾一句，是作者感情的迸发，也是文章中心的聚结点。

 # 风景如画的颐和园

　　江苏　陈彦男

xiǎopéngyou   nǐ qù guòběijīng de yí hé yuán ma   tā céngjīng shì cí xǐ tài hòu
小 朋友，你去过北京的颐和园吗？它曾经是慈禧太后

shēnghuó de dì fāng   nà er fēngjǐng rú huà   shān měishuǐměi   jiù ràngwǒmen qù
生 活的地方。那儿风景如画，山美水美，就 让我们去

yóulǎn yì fān ba   yí hé yuánzhǔyào
游览一番吧！颐和园主要

yóuwàn shòu shān   kūn míng hú zǔ
由万寿山、昆明湖组

chéng   quányuán yī shānbàngshuǐ
成 。全园依山傍水，

cóng gāo dào dī   cuò luò yǒu zhì
从 高到低，错落有致。

quányuán de zuìgāodiǎn shìwànshòu
全 园的最高点是万寿

shānshàng de fó xiāng gé　　zhàn zài fó xiāng gé nèi　quán yuán de jǐng zhì jìn shōu yǎn
山 上 的佛 香 阁。站 在佛 香 阁内，全 园 的景 致尽 收 眼
dǐ　 yóu qí xī yǐn rén de shì nà wān yán zài kūn míng hú biān de cháng dá yì　lǐ de huà láng
底，尤其吸引人的是那 蜿 蜒在昆 明 湖边的 长 达一里的画廊。
cháng láng diāo liáng huà dòng　 měi yí chù tú àn dōu bù xiāng tóng　 ràng rén kàn de yǎn
长 廊 雕 梁 画 栋，每 一 处图 案 都 不 相 同，让 人 看 得 眼
huā liáo luàn　 hú biān liǔ shù chéng yīn　 shí qī kǒng qiáo héng wò yú hú shàng　 jié bái de
花 缭 乱。湖边柳树 成 荫，十七孔 桥 横 卧于湖 上 ，洁白的
yù dài qiáo yě xiāng qiàn qí jiān　 tíng tái lóu gé　 xiǎo qiáo liú shuǐ　 shù mù cōng lóng
玉带 桥也 镶 嵌 其间，亭台楼阁、小 桥 流 水、树 木 葱 茏，
zhēn xiàng lái dào le jiāng nán shuǐ xiāng
真 像来到了江 南 水 乡！
zěn me yàng　 měi lì de yí hé yuán yí dìng ràng nǐ xīn chí shén wǎng le ba
怎 么 样，美 丽 的颐和园一 定 让你心驰神 往 了吧？

名师点评

　　文章是按先总后分的顺序来写的；作者先总写颐和园是个
风景如画的地方，然后从"万寿山、画廊、昆明湖"方面来介
绍这个美丽的地方，条理十分清晰。此外，文章开头和结尾处
的问句，给文章平添了几分童趣。

 ## 法国的骄傲——凯旋门

湖北 韩 璐

yì tí qǐ fǎ guó　 rén men jiù huì xiǎng qǐ nà jǔ shì wén míng de kǎi xuán mén　 kǎi
一提起法国，人 们就会想起那举世闻名的凯旋门。凯
xuán shì dǎ shèng zhàng huí lái de yì sī　 dí què　 kǎi xuán mén jiù shì wéi jì niàn ná pò
旋是打胜 仗 回来的意思。的确，凯旋 门就是为纪念拿破
lún zài ào sī tè lì cí zhàn yì zhōng qǔ shèng ér jiàn zào de
仑在奥斯特利茨战役中取胜而建造的。

凯旋门的门可不是我们平时所见的普通大门，而是一座罗马式的拱形门，高约50米，宽约15米，厚约22米。凯旋门与12条大街相连，犹如一颗光芒四射的明星，镶嵌其间。凯旋门内墙和外墙上雕刻着精美的浮雕。

内墙是展现拿破仑将军的96个胜仗的浮雕，外墙是巨型雕像。门的上端还有大块描绘战争场面的浮雕，其中最著名的是朝着四周大街的《马赛曲》。它生动地再现了巴黎人民在大革命中英勇保卫革命的壮烈场面。

在凯旋门下还有无名烈士墓，墓前点着长明灯，上面写着："这里安息的是为国捐躯的法国军人。"凯旋门是法兰西民族精神的象征。它令世界各地的人赞叹不已而又肃然起敬。

名师点评

巴黎的凯旋门，举世瞩目。文章先点明了凯旋门建造的原因，然后介绍了凯旋门的外观、浮雕、无名烈士墓。而浮雕是凯旋门的灵魂，因而作者写得最具体，从而激起人们对它的崇敬之情。

医院门口

福建 卓芊雨

tiāntiāndōu lù guòzhè lǐ   jīntiānzěnmejué de bù yí yàng   xiéyǎn yí kàn   yí
天天都路过这里，今天怎么觉得不一样。斜眼一看，咦？

zěnme yí yè zhījiānmàochū yì jiā dà bīnguǎn   lái dìngyǎn yí kàn   dì jiǔ rénmín yī
怎么一夜之间冒出一家大宾馆，来定眼一看，"第九人民医

yuàn   jǐ gè zì chūxiàn zàiyǎnqiánzhè cáixiǎng qǐ   wèi le hǎoxiē rì zi de hùlánchāi
院"几个字出现在眼前这才想起，围了好些日子的护栏拆

le   yúshì   wǒtíngzhù le jiǎobù
了。于是，我停住了脚步……

yǎnqiánshì jǐ zhuànggāo dà de jiànzhù   zuǒyòuliǎngbiān de dà lóufēnbié shì bìng
眼前是几幢高大的建筑，左右两边的大楼分别是病

fánghé jí zhěnshì   zhōngjiān nà zhuàngzuìkuān dà de shìménzhěnbù   tā de wàiqiáng
房和急诊室，中间那幢最宽大的是门诊部，它的外墙

shìshēnhóng sè cí zhuānzhōngxiāngzhe yì tiáotiáobái sè cí zhuān   xiǎn de gāoyǎ   dà
是深红色瓷砖中镶着一条条白色瓷砖，显得高雅、大

fāng   èr lóuyǒu yí gè dà píng tái yǔ liǎngbiānlóu tī zhènghǎogòuchéng yí gè tī xíng
方。二楼有一个大平台与两边楼梯正好构成一个梯形，

nà liù gè jīn guāngshǎnshǎn de dà zì jiù xiāngzài tī xíng de héngliángshang   zhěng gè
那六个金光闪闪的大字就镶在梯形的横梁上。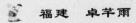整个

tī xíngdōu pū zhebái sè de cí zhuān   yǔ dàlóu de sè cǎixiāng hù yìngzhào
梯形都铺着白色的瓷砖，与大楼的色彩相互映照。

lóu tī
楼 梯
qián shì yí gè
前，是一个
jù dà de shān shí
巨大的山石
pén jǐng qīng
盆 景。青
sè de dǐ zuò lǐ
色的底座里，
yǒu yí zuò jiǎ
有 一 座 假
shān dǒu qiào
山，陡 峭

de shí bì chā zài zhōng yāng jiǎn zhí néng yǐ jiǎ luàn zhēn yǒu shān dāng rán yào yǒu
的石壁插在 中 央，简 直 能 以假乱真。有 山 当 然 要 有
shuǐ yì wāng bì shuǐ huán rào zhe jiǎ shān shuǐ chí lǐ hái yǒu liǎng gēn pēn shuǐ guǎn
水，一 汪 碧 水 环绕着假 山，水 池里还有 两 根 喷水管，
zài dēng guāng de zhào yào xià pēn shuǐ guǎn pēn chū de shuǐ biàn huàn chū bù tóng de yán
在 灯 光 的 照 耀 下，喷 水 管 喷出的 水 变 幻 出 不 同 的 颜
sè měi lì jí le shuǐ chí biān yuán zhuāng le sān zhǎn zhào míng dēng
色，美 丽 极 了。水 池 边 缘 装 了三 盏 照 明 灯。

bù zhī bù jué wǒ zǒu jìn le yī yuàn wǒ yǐ qián zuì pà qù yī yuàn měi cì jìn yī
不知不觉，我 走 进了医 院，我 以 前 最 怕去 医 院，每 次进 医
yuàn bú shì mā ma péi zhe jiù shì bà ba bào zhe kě shì xiàn zài wǒ jué de zhè dì fāng
院不是妈妈陪着，就是爸爸抱着，可是，现 在，我 觉得这地 方
hěn měi wǒ xīn lǐ yì diǎn yě bú pà wǒ xīn xiǎng yī yuàn de biàn huà zhēn dà ya
很 美，我 心 里 一 点 也 不 怕。我 心 想：医 院 的 变 化 真 大 呀！

 名师点评

> 小作者的写作思路很清楚，用顶点描写的方法，介绍了医
> 院新建的大楼，然后从远到近地描写了门前的山石、盆景和水
> 池。

流星雨

澳门　李娴好

gēn jù tiān wén gōng zuò zhě yù bào　wǎn shàng　jiāng yǒu　fèi kě bǐ ní　liú
根据天文工作者预报：晚上，将有"费可比尼"流
xīng yǔ
星雨。

guān xiàng shān de yè wǎn　jìng qiāo qiāo de　yì xiē kūn chóng ǒu ěr fā chū jǐ
观象山的夜晚，静悄悄的，一些昆虫偶尔发出几
shēng míng jiào　huá pò le yè wǎn de níng jìng
声鸣叫，划破了夜晚的宁静。

dà jiā dōu zài nài xīn de děng dài zhe liú xīng yǔ de
大家都在耐心地等待着流星雨的
dào lái
到来。

wǒ men kàn zhe　děng zhe　hū rán　nǎi
我们看着，等着。忽然，奶
nǎi wèn wǒ　xià liú xīng yǔ de shí hòu yòng bú
奶问我："下流星雨的时候用不
yòng dǎ sǎn ya　tā de zhè jù huà rě de dà
用打伞呀？"她的这句话惹得大
huǒ chàng huái dà xiào　wǒ shuō　nǎi nai
伙畅怀大笑。我说："奶奶，
zhè bù shì yǔ shuǐ　ér shì xǔ duō liú xīng tǐ jìn rù dà qì céng shí yóu yú mó cā ér xíng chéng
这不是雨水，而是许多流星体进入大气层时由于摩擦而形成
de tiān xiàng　luò bú dào de miàn shàng lái de　ō　shì zhè yàng　nǎi nai shì dǒng
的天象，落不到地面上来的。""噢！是这样！"奶奶似懂
fēi dǒng de xiào le
非懂地笑了。

diǎn　fēn　hū rán　wǒ yǐn yuē de tīng dào shān nà biān yǒu rén zài hǎn　liú
9点10分，忽然，我隐约地听到山那边有人在喊："流

xīng yǔ lái le   wǒ měng de yì tái tóu   zhǐ jiàn cóng tiān lóng xīng zuò de lóng tóu shàng
星雨来了!"我 猛 地一抬头，只见从天龙星座的龙头 上

chū xiàn le yí gè liàng qiú   gāng kāi shǐ kàn shàng qù zhǐ yǒu yí gè xiǎo xīng xīng nà me dà
出现了一个亮球。刚开始看 上 去只有一个小星星那么大。

tā xiàng lí xián de jiàn   yóu nán xiàng běi huá kōng ér guò   zài zhè yí chà nà jiān   wǎn
它像离弦的箭，由南向北划空而过。在这一刹那间，宛

rú yì kē càn làn xuàn lì de míng zhū zài shǎn liàng   zhè shǐ suǒ yǒu guān wàng liú xīng de
如一颗灿烂绚丽的明珠在闪亮。这使所有观 望流星的

rén men dōu zàn tàn bù yǐ
人们都赞叹不已。

diǎn bàn zuǒ yòu   shù shí kē liú xīng zài kōng zhōng yì huá ér guò   tā men yǒu de
9点半左右，数十颗流星在空 中一划而过，它们有的

xiàng yuè yá   yǒu de rú sào zhou yì bān   hái yǒu de hǎo sì yì bǎ bái cí sháo zi   wǒ
像月牙；有的如扫帚一般；还有的好似一把白瓷勺子。我

jiǎn zhí bèi yǎn qián zhè qí yì de tiān xiàng mí de wàng jì le zhōu wéi de yí qiè
简直被眼前这奇异的天 象迷得 忘记了周围的一切。

wǒ xiǎng   tiān wén xué jiā néng kē xué de tuī suàn chū tiān wén xiàn xiàng suǒ chū xiàn
我 想，天文学家能科学地推算 出天文现 象所出现

de shí jiān hé zhǔn què wèi zhì   zhè shì duō me wěi dà de chéng jiù ya
的时间和准 确位置，这是多么伟大的 成 就呀!

作文先用笑答奶奶的方式来解释"流星雨"，显得很活泼。
随后先描绘一颗流星划空而过，又动用了各式各样的比喻，令
人赞叹不已。

花园般的住宅

山东 霍 媛

yǎn qián de zhè yí chù jiū jìng shì huā yuán hái shì zhù zhái
眼 前的这一处究竟是花 园还是住宅?

shuō tā shì huāyuán ba　　kě zài guǎngchǎng sì zhōu fēn míng shì yí zhuàngzhuàng
说 它 是 花 园 吧，可 在 广 场 四 周 分 明 是 一 幢　幢

pái liè zhěng qí　　chōng mǎn yì guó qíng diào de jiàn zhù　　nà fù yǒu lì tǐ gǎn de wài
排 列 整 齐、充 满 异 国 情 调 的 建 筑。那 富 有 立 体 感 的 外

qiáng　　piào liang de luò
墙、漂 亮 的 落

dì guān jǐng yáng tái　　sù
地 观 景 阳 台、塑

gāng chuāng hé xī shì mén
钢 窗 和 西 式 门

láng　　zěn bú jiào rén yí
廊，怎 不 叫 人 一

jiàn qīng xīn　　kě wàng
见 倾 心，渴 望

chéng wèi tā de zhǔ rén
成 为 它 的 主 人？

kě shuō tā shì zhùzhái ba　　nà gānjìng　　zhěng jié de xiǎo jìng shēn xiàng yuǎn chù　　liǎng
可 说 它 是 住 宅 吧，那 干 净、整 洁 的 小 径 伸 向 远 处，两

biān yí kuài kuài xiū jiǎn zhěng qí de cǎo píng wéi xiān huā　　lóu qián lóu hòu shù mù fú shū
边 一 块 块 修 剪 整 齐 的 草 坪 围 鲜 花，楼 前 楼 后 树 木 扶 疏，

lìng rén shǎng xīn yuè mù　　zhōng jiān nà cǎi sè shuǐ ní bǎn pīn chéng de xié gé guǎng chǎng
令 人 赏 心 悦 目；中 间 那 彩 色 水 泥 板 拼 成 的 斜 格 广 场，

chōng mǎn le dòng gǎn　　guǎng chǎng zhōng yāng de yí gè zào xíng yōu měi　　shè jì dú
充 满 了 动 感。广 场 中 央 的 一 个 造 型 优 美、设 计 独

tè de tíng zi jí yòu biān yì pái qíng diào yōu yǎ de cháng yǐ　　wèi rén men tí gōng le xiū
特 的 亭 子 及 右 边 一 排 情 调 优 雅 的 长 椅，为 人 们 提 供 了 休

xī　liáo tiān　　wánshuǎ de hǎo chǎng suǒ　　zhè hé huāyuán yòu yǒu hé qū bié
息、聊 天、玩 耍 的 好 场 所。这 和 花 园 又 有 何 区 别？

qí shí　　dá àn hěn jiǎn dān　　zhè jiù shì huāyuán bān de zhù zhái　　yě shì wǒ men zhù
其 实，答 案 很 简 单，这 就 是 花 园 般 的 住 宅，也 是 我 们 住

zhái shè jì de qū shì　　yòng shí máo de huà lái shuō　　jiào　　rén xìng kōng jiān　　huí guī zì
宅 设 计 的 趋 势。用 时 髦 的 话 来 说，叫 "人 性 空 间，回 归 自

rán　　xiāng xìn bù jiǔ de jiāng lái　　wǒ men zhōng de bù shǎo rén dōu huì shēng huó zài zhè
然。" 相 信 不 久 的 将 来，我 们 中 的 不 少 人 都 会 生 活 在 这

chōng mǎn shī qíng huà yì de huāyuán shì zhù zhái zhōng de
充 满 诗 情 画 意 的 花 园 式 住 宅 中 的。

小学生看图作文

 名师点评

台 风

湖北 孝浩明

"呜……呜……"阵阵狂风吹过，我不禁打了一个寒颤。台风来了！"哗啦啦……"又是一阵暴雨没头没脑地倒下来。

"乒！乓……"一阵巨响，我赶紧跑到阳台上看个究竟。建筑工地上刚搭好的脚手架被一阵狂风吹得七零八落。外面不断传来恐怖的声音，我退缩到屋里，还是家最安全

de　yóu yú tíng diàn　jīn yè de　　zhú guāng wǎn cān　dào xiǎn de hěn yǒu qíng diào
的，由于停电，今夜的"烛光晚餐"倒显得很有情调。

bà ba shuō　　xiǎng qǐ xiǎo shí hòu tái fēng lái shí　　shì wǒ men zhè qún xiāng xià hái
爸爸说："想起小时候台风来时，是我们这群乡下孩

zi zuì xīng fèn de shí kè　měi gè rén dōu dài zhe dǒu lì　ná zhe liǎn pén　shuǐ sháo
子最兴奋的时刻，每个人都戴着斗笠，拿着脸盆、水勺，

qiǎng zhe dào guǒ shù xià jiǎn diào luò mǎn dì de shuǐ guǒ　　suī rán zài fēng yǔ zhōng　　dàn xīn
抢着到果树下捡掉落满地的水果。虽然在风雨中，但心

lǐ béng tí yǒu duō gāo xìng le　　tīng de wǒ men zhè xiē　　chéng shì lǎo　mù dèng kǒu
里甭提有多高兴了。"听得我们这些"城市佬"目瞪口

dāi　xiàn mù bù yǐ
呆，羡慕不已。

tái fēng guò hòu　bà ba tè dì dài wǒ men chū qù kàn kàn　zhēn kě xī　gōng yuán
台风过后，爸爸特地带我们出去看看。真可惜，公园

yuán běn yù yù cōng cōng de shù cóng　dǎo de dǎo　duàn de duàn　xiǎn de yǒu xiē qī
原本郁郁葱葱的树丛，倒的倒，断的断，显得有些凄

liáng　jiē shàng dào chù shì cán quē de zhāo pái hé wǎ piàn　wǎn jiān xīn wén zhōng bào dào
凉。街上到处是残缺的招牌和瓦片。晚间新闻中报道

le jiàn zhù gōng chéng de yīng jià zài fēng zhōng　chéng fēng pò làng　zhěng gè chéng
了建筑工程的鹰架在风中"乘风破浪"，整个城

shì zhēn shì　mǎn mù chuāng yí
市真是"满目疮痍"。

tái fēng shì chéng shì de cháng kè　duō yí fèn zhǔn bèi　shǎo yí fèn wēi hài　shì
台风是城市的常客。"多一份准备，少一份危害"是

yí jù bù biàn de zhēn lǐ　xī wàng xià cì tái fēng guāng lín shí　tā huì wú kě nài hé de
一句不变的真理，希望下次台风光临时，它会无可奈何地

lí qù
离去。

名师点评

台风具有极大地破坏力。写台风的景象，可以写飓风肆虐时的情景，也可以从狂风过后的情形来看它的破坏程度。本文是写事后目睹的景象的。虽然写的只是点滴的情景，但也看得出已是"满目疮痍"。可见台风的威力之大。

夕 阳

湖南 江 号

wǒ hé ā nèi yì qǐ qù shā shí dòng diào yú
我和阿内一起去沙石洞钓鱼。

xī yáng yìng zhào zài shā
夕阳映照在沙
shí dòng de hé miàn shàng
石洞的河面上，
shuǐ měi jí le lán tiān zài hé
水美极了。蓝天在河
de zhè yì biān shǎn shuò lǜ
的这一边闪烁，绿
guāng hóng guāng zài hé
光、红光，在河
miàn nà yì biān yáo yè wēi bō dàng yàng jiǎo luàn le lán guāng lǜ guāng hóng
面那一边摇曳。微波荡漾，搅乱了蓝光、绿光、红
guāng dàn céng cì què yī rán fēn míng jiù rú tóng yì tiáo cǎi hóng zhè cǎi hóng zài fǔ
光，但层次却依然分明，就如同一条彩虹。这彩虹在俯
shì zhe hǎo xiàng yào yōu rán zì zài de yú ér guān shǎng zhè wǔ guāng shí sè de shuǐ shàng
视着，好像要悠然自在的鱼儿观赏这五光十色的水上
guāng huán
光环。

zǐ sè de hé shuǐ zài huàng dòng wú shù de lián yī xiàng sì chù shēn zhe yú piāo
紫色的河水在晃动，无数的涟漪向四处伸着，鱼漂
zài bú zhù de yáo huàng
在不住地摇晃。

cǐ kè wǒ zǎo wàng le zì jǐ shì zài hé biān chuí diào níng shén de tiào wàng zhe
此刻，我早忘了自己是在河边垂钓，凝神地眺望着
měi hǎo de jǐng sè duō měi a ā nèi tū rán shuō le zhè me yí jù
美好的景色。"多美啊！"阿内突然说了这么一句。

shuǐ bō qīng dàng yú piāo zài huàng dòng tū rán yú piāo wǎng xià chén yú
水波轻荡，鱼漂在晃动。突然，鱼漂往下沉，鱼
er shàng gōu le qǐ gān yí kàn yuán lái shì yì tiáo lǐ yú zhè tiáo lǐ yú de yú lín shì
儿上钩了。起竿一看，原来是一条鲤鱼。这条鲤鱼的鱼鳞是
jīn sè de shì yì tiáo dé guó pǐn zhǒng de lǐ yú wǒ kàn zhe zhè tiáo lǐ yú xiá xiǎng lǐ
金色的，是一条德国品种的鲤鱼。我看着这条鲤鱼遐想：鲤
yú a lǐ yú nǐ shì dì yí cì kàn dào zhè xuàn lì duō zī de xī yáng ba nǐ bù zhī dào
鱼啊，鲤鱼，你是第一次看到这绚丽多姿的夕阳吧！你不知道
zì jǐ jū zhù de dì fāng jìng yǒu zhè bān yòu rén de jǐng sè ba
自己居住的地方竟有这般诱人的景色吧！

wǒ bǎ lǐ yú fàng huí le hé lǐ tā sì hū shén me shì yě méi yǒu fā shēng guò shì de
我把鲤鱼放回了河里，它似乎什么事也没有发生过似的，
yáo bǎi zhe wěi ba yóu kāi le hēi zhè jiā huo zhēn wú qíng yě bù shuō jù zài jiàn
摇摆着尾巴游开了。"嘿，这家伙真无情，也不说句再见！"
wǒ zhèng xiǎng zhe zhè shí shuǐ miàn yòu chuán lái yú er xī shuǐ shí suǒ fā chū de shēng
我正想着，这时，水面又传来鱼儿嬉水时所发出的声
yīn zhè lǐ yú duì guǎng kuò de tiān dì hái zhēn yǒu diǎn liàn liàn bù shě li yú zuǐ gǔ gǔ
音。这鲤鱼对广阔的天地还真有点恋恋不舍哩。鱼嘴鼓鼓
de sì hū zài zàn tàn zhe xī yáng duō měi a
的，似乎在赞叹着夕阳："多美啊！"

名师点评

　　本文生动细腻地描写了夕阳西下时小河的动态美、颜色美和人们在河边垂钓时的陶醉感。更可贵的是文章写出了独特的意境，如一首优美的散文诗，令人回味无穷。

水果店

哈尔滨　王佳

shuāng xiū rì bà ba mā ma dài wǒ qù guàng jiē dāng wǒ men lái dào shàng hǎi shí
双休日，爸爸妈妈带我去逛街。当我们来到上海食

品商店时，那琳琅满目、五颜六色的水果一下子把我吸引

住了。"哇！这么多

种水果啊！"我不顾

爸爸妈妈的催促，跑

到柜台边新奇地看了

起来。

这红艳艳的是

红富士苹果，这黄澄澄的是美国甜橙；那粉白的是

桃子，嫩绿的是杨桃。这里还放着通红的蛇果、碧绿的橄

榄、深褐的山竹、青紫的葡萄。那边堆着有刺的菠萝和"皱

皮肤"的哈密瓜。旁边紧挨着的大家伙原来就是那奇臭无比

的榴莲。那黄瓤的新品种西瓜还有个好听的名字叫"小

凤"。

最有意思的水果是经过加工的椰子：圆柱形的"身

体"、圆锥形的"脑袋"，从上到下全部是奶白色，真

像一幢小房子。房子里可装满清凉的椰子汁哦！最

奇怪的水果是乒乓球大的红毛丹，看上去像小刺猬，

不过摸上去却是软软的。剥开"红刺猬"，露出一只晶莹

guānghuá de　　xiǎoyuánqiú　　cháng yì cháng　　kě tián le　　zuì piàoliang de shuǐguǒ
光滑的"小圆球"，尝一尝，可甜了！最漂亮的水果

shì huǒ lóng guǒ　　huǒ lóng guǒ de dù zi lǐ hái cáng zhe hǎo duō kě ài de　　xiǎo zhēn
是火龙果。火龙果的肚子里还藏着好多可爱的"小珍

zhū　ne
珠"呢！

wǒ zài guì tái biān liú lián wàng fǎn　　zhè er de shuǐguǒ zhème fēng fù　　zhēn ràng rén
我在柜台边流连忘返，这儿的水果这么丰富，真让人

yǎn huā liáo luàn　　mù bù xiá jiē
眼花缭乱，目不暇接。

 名师点评

> 　　读了《水果店》一文，真使人垂涎欲滴。作文的第二段，
> 着力写各种有名水果的色彩，可真是五彩缤纷；第三段，换了
> 一种表达的方法：从"最有意思的"、"最奇怪的"、"最漂亮
> 的"三个角度出发，介绍了三种最有特点的水果，其中还用了
> 恰当的比喻。

状 物 篇

我喜爱小狗贝贝

浙江 方 杰

wǒ xǐ ài wǒmen jiā de xiǎogǒu bèibei
我喜爱我们家的小狗"贝贝"。

bèibei yǒu yí fù huā
贝贝有一副花

liǎn dàn liǎn dàn shàng
脸蛋，脸蛋上。

yǒu yì shuāng shuǐ líng ling
有一双水灵灵

de dà yǎnjing yǎnjing xià
的大眼睛，眼睛下

miàn yǒu yì zhāng mó yàng
面有一张模样

kě ài de zuǐ bèibei zǒng
可爱的嘴。贝贝总

shì qiào qǐ nà tiáo máo róngrong de wěi ba nǐ qiáo tā nà yàng zi duō wēiwǔ ya
是翘起那条毛茸茸的尾巴，你瞧，它那样子多威武呀！

bèibei xǐ huān chī gǔ tou yì tiān wǒ chī wán le jī tuǐ bǎ gǔ tou wèi gěi bèibei chī
贝贝喜欢吃骨头。一天，我吃完了鸡腿把骨头喂给贝贝吃，

kàn tā chī de nà yàng xiāng　　wǒ xīn lǐ měi zī zi de
看它吃得那样香，我心里美滋滋的。

　　bèibei xǐ zǎo shí hěn yǒu yì sī　yǒu yí cì　wǒ gěi tā xǐ zǎo　tā sì zhī zhǎn kāi
　　贝贝洗澡时很有意思。有一次，我给它洗澡，它四肢展开，

xiàng zài hé lǐ yóu yǒng sì de　　guò le yí huì er　tā cóng chí lǐ chū lái　yòu bèng yòu
像在河里游泳似的。过了一会儿，它从池里出来，又蹦又

tiào de　hái　wāng wang　de jiào zhe　hǎo xiàng zài gǎn xiè wǒ ne
跳的，还"汪汪"地叫着，好像在感谢我呢！

　　bèibei zhēn shì yì zhī kě ài de xiǎo gǒu
　　贝贝真是一只可爱的小狗！

名师点评

　　小作者一开篇就对小狗的外貌进行了描写，写得生动有趣，把小狗人性化。此外，小狗"吃骨头"、"洗澡"两个方面也写得有趣，极富画面感。读了使人忍俊不禁，和小作者一样对小狗产生喜爱之情。

我喜爱的船模

　　　　　陕西　王兰

　　xiǎo yīng　hào háng kōng mǔ jiàn shì er tóng jié shí mā ma sòng gěi wǒ de　lǐ wù
　　"小英"号航空母舰是儿童节时妈妈送给我的礼物。

　　chuán shēn cóng cè miàn kàn chéng dào tī xíng　zhèng miàn kàn chéng　　　　　zì
　　船身从侧面看呈倒梯形，正面看呈"Y"字

xíng　jiǎ bǎn yán sè yóu hǎi jūn lán　shēn lán　hēi hé huī zǔ chéng　chuán tǐ yóu lǜ
形。甲板颜色由海军蓝、深蓝、黑和灰组成；船体由绿、

hēi　hǎi jūn lán　qiǎn huī　bái　jīn hé tiě xiù hóng sè zǔ chéng　shí fēn měi lì　tā
黑、海军蓝、浅灰、白、金和铁锈红色组成，十分美丽。它

yǒu sì kuài shēng jiàng bǎn　rú guǒ yù dào dí jī de hōng zhà　jiù kě yǐ bǎ bǎn fàng xià
有四块升降板，如果遇到敌机的轰炸，就可以把板放下

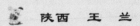

去，减少目标的面积。战舰上有指挥台、眺望塔、救生艇，更引人注目的是船上的多架飞机，型号多种多样："雄猫"号战斗机、侦察机、"鹰"号预警机、攻击机……这艘船模嵌在一个精制的底座上，更显得它神气十足。

它是一艘既可观赏又可模拟驱动的船模。我打开甲板，装上两节五号电池，然后放满一浴缸的水，打开战舰开关，放入水中，这艘战舰就在水中乘风破浪了，多威风呀！"哇！太棒了！"我兴奋地喊起来。

我望着它，真恨不得把它放大几百倍，那样，我就可以乘上它，去圆我蓝色的海军梦了。我爱这艘战舰，我一定要好好学习，将来造出比它更棒的战舰，我要驾驶着它，巡逻在祖国的海疆，保卫和平。

名师点评

> 本文对船模的造型、各部位的颜色、船体上的配件有条理地进行了具体的介绍，还写了怎样驱动船模的过程，更可取的是作者在表达对船模喜爱的同时，也表达了自己的远大理想。

蒲 公 英

 江苏　朱睿哲

qǐ chū　pú gōng yīng shì huáng sè de　biǎn píng de huā er　dāng zhè huā er biàn
起初，蒲公英是黄色的，扁平的花儿。当这花儿变

chéng yuán yuán de zhǒng zi
成圆圆的种子
hòu　fēng yì chuī　tā jiù hū
后，风一吹，它就呼
de fēi zǒu le　fēi de shí hòu jiù
地飞走了。飞的时候就
xiàng yì dǐng jiàng luò sǎn　kàn
像一顶降落伞，看
shàng qù hǎo xiàng yào bǎ pú
上去好像要把蒲
gōng yīng zhǒng zi sòng shàng
公英种子送上
tiān qù sì de
天去似的。

wǒ fēi cháng xiǎng kàn kàn zhè biǎn píng de huā er shì zěn yàng biàn chéng yuán yuan de
我非常想看看这扁平的花儿是怎样变成圆圆的
zhǒng zi de　wǒ jiā de yuàn zi lǐ zhòng zhe pú gōng yīng　kě děng le sì wǔ tiān　tā
种子的。我家的院子里种着蒲公英，可等了四五天，它

háiméiyǒu jiē zi dào le dì wǔ tiān tā què biàn chéng le zhǒng zi wǒ xiǎng yě xǔ
还没有结子。到了第五天它却变成了种子。我想，也许

shì zài yè lǐ tā qiāo qiāo de biàn chéng zhǒng zi ba yuán lái pú gōng yīng hé qiān niú huā
是在夜里它悄悄地变成种子吧。原来蒲公英和牵牛花

bù yí yàng tā bú shì zài huā er diāo xiè zhī hòu zài biàn chéng zhǒng zi de
不一样，它不是在花儿凋谢之后再变成种子的。

pú gōng yīng wèi shén me yào jié zi ne shì bú shì xiǎng zài yáo yuǎn de dì fāng jié shí
蒲公英为什么要结子呢？是不是想在遥远的地方结识

xīn huǒ bàn
新伙伴？

wǒ xiǎng zhè xiē dài zhe zhǒng zi de jiàng luò sǎn jiāng piāo luò zài hé fāng ne yuàn
我想：这些带着种子的降落伞将飘落在何方呢？愿

tā men néng gěi suǒ yǒu de rén dài qù wǒ de zhù fú
它们能给所有的人带去我的祝福！

 名师点评

> 本文的最后两节很有特色。结合蒲公英的特点，把想象和
> 抒情结合在一起，十分动情，令人神往。

螳　螂

福建　薛　云

tángláng yòu jiào dāo táng
螳螂又叫刀螳。

tā zhǎng zhe gè yòu yuán yòu dà de hóng dù zi shēn pèi yí duì bì lǜ de dà dāo
它长着个又圆又大的红肚子，身佩一对碧绿的大刀，

zhēn xiàng yí wèi nán shì tā de yǎn jing shàng sì hū dài zhe fù yuán yuán de yǎn jìng kàn
真像一位男士。它的眼睛上似乎戴着副圆圆的眼镜，看

qǐ lái dào yǒu xiē xué zhě fēng dù
起来倒有些学者风度。

它的性格是双重的，温顺起来像文雅的学者，凶猛起来却是位勇士，它把那带刺的大刀夹住你的手指，直刺入你的皮肤还不松手。

想试试它有多厉害，把捉来的蚂蚱放进瓶子里。起初，螳螂并不理会这乱蹦乱跳的来客。可是蚂蚱不知好歹，一下竟跳到螳螂的头上。这下勇士可气坏了，使出大刀，不管对方是个大家伙，奋力砍去。蚂蚱腾跳，螳螂展翅飞翔。就这样一个抖翅，一个扑去，像老鹰抓小鸡一样，螳螂用大刀夹住了偌大的蚂蚱。

蚂蚱在跳，伸腿在挣扎，可怎么能逃脱呢？螳螂睁开大眼睛，张开嘴，三下两下就把蚂蚱的腿吃下肚。一会儿，蚂蚱的头也被啃光了。

"蚂蚱真可怜！"站在一旁的妹妹说。

我说："可怜它什么！蚂蚱是害虫，螳螂为人类除害，是真正的勇士。"

名师点评

螳螂捕吃蚂蚱这连续的镜头，读来很有趣。原因是写得很具体、真切。你看：一个跳到头上，一个使出大刀；一个腾跳，一个飞翔；一个抖翅，一个扑去，夹住了蚂蚱，一个伸腿想逃脱……写得细致才能读得有味。写得仔细在于观察得认真。

水珠与荷

浙江　蒋歆

yì chǎng yǔ guò hòu　xiǎo shuǐ zhū pā zài hé yè shàng　chéng le hé yè de yǎn jing
一场雨过后，小水珠趴在荷叶上，成了荷叶的眼睛，

hé yè shén me dōu néng kàn dào le　hé huā kāi le　cǎi hóng guà zài tiān biān　hǎo měi
荷叶什么都能看到了：荷花开了，彩虹挂在天边，好美

ya　zhèng dāng hé yè gāo xìng
呀！正当荷叶高兴

shí　táo qì de fēng wá wa lái
时，淘气的风娃娃来

le　yì pāi hé yè　xiǎo shuǐ zhū
了，一拍荷叶，小水珠

jiǎo yì huá　diào jìn hé lǐ　kě
脚一滑，掉进河里。可

lián de hé yè　yǎn jing méi yǒu
怜的荷叶，眼睛没有

le　piào liang de hé huā měi lì
了，漂亮的荷花美丽

de cǎi hóng　shén me yě kàn bú dào le　wū wū wū　hé yè shāng xīn de kū le qǐ lái
的彩虹，什么也看不到了。呜呜呜……荷叶伤心地哭了起来。

名师点评

小作者的作文充满了童趣。小作者充分发挥想象力，使“小水珠”和“荷叶”像人一样充满了人性和灵气。

黄瓜

云南 王雨

shūcài lǐ wǒ zuì xǐ huān chī de jiù shì huáng guā le huáng guā yòu cuì yòu nèn
蔬菜里，我最喜欢吃的就是黄瓜了。黄瓜又脆又嫩，
suī wú tián wèi què qīng liáng shuǎng kǒu yán rè de xià tiān chī yì gēn huáng guā zhēn shì
虽无甜味却清凉爽口。炎热的夏天，吃一根黄瓜真是
liáng dào zuǐ li shuǎng dào xīn shàng
凉到嘴里，爽到心上。

huáng guā yāng de yè zi shì sān bàn xíng de huáng guā màn shàng kāi chū le duǒ duǒ huáng sè de xiǎo huā huā xiè le péng
黄瓜秧的叶子是三瓣形的；黄瓜蔓上开出了朵朵黄色的小花；花谢了，棚
jià shàng jiù huì guà mǎn le lǜ sè de huáng guā huáng guā xì xì de cháng cháng de
架上就会挂满了绿色的黄瓜。黄瓜细细的、长长的，
chuān zhe cōng lǜ sè de wài yī hún shēn zhǎng zhe dài cì de xiǎo gē dā dǐng duān
穿着葱绿色的“外衣”，浑身长着带刺的小疙瘩，顶端
hái zhuì zhe yì duǒ měi lì de xiǎo huáng mào wǒ xiǎng zhè huáng guā duō me huì dǎ bàn
还缀着一朵美丽的小黄帽。我想：这黄瓜多么会打扮

zì jǐ ya
自己呀!

huáng guā bù jǐn hǎo chī yàng zi yě hěn hǎo kàn suǒ yǐ zài zhòng duō de shū
黄 瓜不仅好吃，样子也很好看；所以，在 众 多的蔬
cài lǐ wǒ zuì xǐ huān chī huáng guā le
菜里，我最喜欢吃 黄 瓜了。

 名师点评

　　小作者出口成章，直截了当地叙述"蔬菜里，我最喜欢吃
的就是黄瓜了。黄瓜有丰富的营养，洗净生吃，又脆又嫩，虽
无甜味却清凉爽口"。尤其在夏天。"凉到嘴里，爽到心上"。文
章短小精悍，朴实风趣，富有文采，是一篇佳作。

我家的大冰箱

 西安 陆 尧

wǒ jiā yǒu gè páng rán dà wù tā jì shì mā ma de hǎo bāng shǒu yě shì wǒ
我家有个"庞 然大物"，它既是妈妈的好 帮 手，也是我
de hǎo huǒ bàn tā jiù shì nà lǜ sè de dà bīng xiāng
的好 伙伴，它就是那绿色的大冰 箱。

zì cóng yǒu le zhè gè dà bīng xiāng hòu wǒ jiā de shēng huó fāng biàn duō le dà
自从 有了这个大冰箱后，我家的 生 活方便多了，大
bīng xiāng hái zhēn dà kuān yǒu lí mǐ gè er bǐ mā ma hái gāo ne bīng xiāng gòng
冰 箱还真大，宽有70厘米，个儿比妈妈还高呢！冰箱共
yǒu liǎng shàn mén shàng miàn shì lěng dòng shì dǎ kāi shàng céng de mén nǐ huì fā
有 两 扇 门， 上 面是冷冻室，打开上 层的门，你会发
xiàn lǐ miàn hái fēn sān céng dì yī céng fàng zhe wǒ xià tiān lǐ zuì ài chī de bīng jī líng
现里面还分三层：第一层 放 着我夏天里最爱吃的冰激凌；
dì èr céng shì ròu de tiān de yǒu zhū ròu pái gǔ niú ròu jī kuài děng dì sān céng
第二层是肉的天地，有猪肉、排骨、牛肉、鸡块 等；第三层

zhuān fàng bīng kuài hé zì zhì de bàng bīng   xià
专 放 冰 块 和 自 制 的 棒 冰 。下

miàn shì lěng cáng shì   fēn chéng sì gé   lěng
面 是 冷 藏 室 ，分 成 四 格 ，冷

cáng shì lǐ yǒu yǐn liào   xī guā   niú nǎi hé fān
藏 室 里 有 饮 料 、西 瓜 、牛 奶 和 番

qié děng   hái yǒu měi tiān chī shèng xià de fàn cài
茄 等 ，还 有 每 天 吃 剩 下 的 饭 菜

děng   bīng xiāng duì yú měi gè jiā tíng lái shuō
等 。冰 箱 对 于 每 个 家 庭 来 说

shì bì bù kě shǎo de jiā yòng diàn qì   duì wǒ jiā
是 必 不 可 少 的 家 用 电 器 。对 我 家

lái shuō   gèng shì bǎ tā dāng bǎo bèi yí yàng
来 说 ，更 是 把 它 当 宝 贝 一 样

ài xī   wǒ men qīng kāi qīng guān   dìng shí
爱 惜 ，我 们 轻 开 轻 关 、定 时

qīng lǐ   kě shì wǒ yě fā xiàn bīng xiāng yǒu bù shǎo quē diǎn xū yào gǎi jìn   lì rú xū yào
清 理 。可 是 我 也 发 现 冰 箱 有 不 少 缺 点 需 要 改 进 。例 如 需 要

dìng shí chú chòu   chú jūn   zài shuō yàng zi yě bú gòu piào liang   dàn shì wǒ xiǎng xìn
定 时 除 臭 、除 菌 ，再 说 样 子 也 不 够 漂 亮 。但 是 我 相 信 ，

bù jiǔ de jiāng lái   wǒ men néng yòng shàng gōng néng gèng duō   gèng měi guān de
不 久 的 将 来 ，我 们 能 用 上 功 能 更 多 、更 美 观 的

bīng xiāng
冰 箱 。

 名师点评

　　这其实是一篇知识性的短文，以冰箱的结构为序，分门、分层介绍各格各室的作用，最后还指出现有冰箱的不足之处，有待改进。用叙述性的语言来写介绍性的知识短文，这是比较容易的。只需按物品的基本结构一一写下即可，但写的内容也较单纯，如本文只是介绍冰箱各格宜放置什么：冰箱的其他有关知识都未涉及。

可爱的小动物——猴子

北京 胡京晶

国庆节，动物园的猴山吸引了很多人，那里不时传出一阵阵热闹的笑声。只见一只只大大小小的猴子跳上跳下，蹦来蹦去。

这些猴子的头是椭圆形的，不是很大。脸部是红色的，形状像桃心，耳朵是月牙儿形的，十分灵敏，眼睛很小，又圆又亮。像两颗棕色的宝石嵌在眼眶里，它的鼻子不太明显，鼻梁几乎看不见，只看见鼻孔，嘴是弧形两瓣的，吃东西还发出"嚓嚓"的声音，看上去一副聪明伶俐的样子。

它的身上长着一层棕色的毛茸茸的毛，胳膊又长又细，爪子上长着锋利的指甲。屁股上是一片红，后面挂着一条长长的尾巴，走

路时一会儿翘着，一会儿拖来拖去。猴子的五个脚趾看上去好像是连着的，每个脚趾上也有尖尖的指甲。这时我看见一只猴子在地上走了一圈，然后，用手搭一个凉棚向上仰望，又在地上翻了一个筋斗向人们敬礼，引得许多游人向下扔糖果。那只小猴拾了块糖刚准备往嘴里放，突然看到前面不远处有一个苹果，就赶快扔了跑去拾苹果。它刚到跟前，不料，一只大猴突然从天而降，抢起苹果就吃。小猴没办法，急得抓耳挠腮。我连忙从口袋里掏出一只大苹果向它扔去，小猴子接住后，高兴得手舞足蹈，它还对我敬礼表示感谢呢！我和游人们都被这家伙有趣的动作逗得哈哈大笑。

　　这时，只见一只猴子老盯着一位抽烟的老人，不时伸出手来要。"给！给你！"老人将烟丢给它，它并没有立刻去拿，而是灵活地闪开了，两眼死死盯着烟。这时，从后面跑来一只猴子，一把抓住烟。烟正燃着，那只猴子刚碰到就大叫一声，甩掉烟就逃。凄厉的叫声惊得别的猴子四散逃窜。要是孙悟空在，一定会为猴子们报仇的。

　　这时，一只老猴子却不慌不忙地从假山上爬了下来。

màn màn de xiàng xiāng yān zǒu qù　　tā yì shēn shǒu zhuā zhù bú tàng de yì tóu
慢 慢 地 向 香 烟 走 去。它 一 伸 手 抓 住 不 烫 的 一 头，

zhī　　zhī　　　　bié de hóu zi dōu jiào qǐ lái　　sì hū zài shuō　　bié ná　bié ná
"吱——吱——"别 的 猴 子 都 叫 起 来，似 乎 在 说："别拿！别拿！

tàng shǒu ya　　lǎo hóu zi què wǎng de shàng yí zuò　　yáo zhe wěi ba　　xué zhe nà wèi
烫 手 呀！"老 猴 子 却 往 地 上 一 坐，摇 着 尾 巴，学 着 那 位

lǎo rén de yàng zi　　jīn jīn yǒu wèi de chōu qǐ yān lái　　tā bǎ yān yòng shǒu jiā zhù　　fàng
老 人 的 样 子，津 津 有 味 地 抽 起 烟 来。它 把 烟 用 手 夹 住，放

zài zuǐ chún zhōng jiān　　měng de xī le kǒu qì　　yān wù bù shí cóng zuǐ li pēn chū lái
在 嘴 唇 中 间，猛 地 吸 了 口 气，烟 雾 不 时 从 嘴 里 喷 出 来，

dòu de rén men pěng fù dà xiào
逗 得 人 们 捧 腹 大 笑。

wǒ zhēn xǐ huān dòng wù yuán lǐ de zhè xiē　jī líng　　cōng míng yòu kě ài de hóu zi
我 真 喜 欢 动 物 园 里 的 这 些 机 灵、聪 明 又 可 爱 的 猴 子。

 名师点评

　　本文写得之所以成功，是作者细致观察画面并结合平时对猴子的观察所得的结果。所写的内容构成了一个自然、有机的整体，使文章情节完整，妙趣横生，表现出了猴子的聪明、灵活与可爱。

柳　树

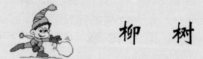

山东　冯琳

zài wǒ men xué xiào de chí táng biān yǒu yì kē gāo dà tǐng bá de liǔ shù　　měi dāng
在 我 们 学 校 的 池 塘 边 有 一 棵 高 大 挺 拔 的 柳 树。每 当

chūn gū niang mài zhe qīng yíng de bù fá lái dào rén jiān shí　　wàn wù dōu xiàng gǎn jí shì
春 姑 娘 迈 着 轻 盈 的 步 伐 来 到 人 间 时，万 物 都 像 赶 集 似

de　　qiáo　　liǔ shù zài chūn fēng de chuī fú xià　　shū zhǎn kāi le huáng lǜ méi yǎn　　liǔ
的。瞧，柳 树 在 春 风 的 吹 拂 下，舒 展 开 了 黄 绿 眉 眼。柳

树的枝干是灰色的，枝条上长着不可计数的树。叶子是橄榄形的。那么多的绿叶一簇挨一簇长在枝条上，不留一点儿缝隙。那黄绿的颜色明亮地闪着，似乎每一片树叶都有一个新的生命在颤动。从远处看，就像一位穿着绿

衣裳的姑娘正在照着镜子梳妆打扮。真是"碧玉妆成一树高，万条垂下绿丝绦。不知细叶谁裁出，二月春风似剪刀"啊！

一阵春风拂过，柳树的一部分树枝垂到水面，像在跟水池握手，又像在向水池致意，感谢水池把它滋润，使它茁壮成长。美丽的柳树引来了许多鸟儿，有的在树梢跳来跳去，有的像小孩在荡秋千，有的在尽情欢唱，有的在梳理羽毛，柳树成了"鸟儿的天堂"。

柳树把池塘衬托得更加美丽，把一池水都映绿了。蓝天，白云，柳树倒映在池水里，构成一幅美丽的图画。

我爱柳树。

名师点评

常说柳树婀娜多姿，作文运用了恰当的比喻，如："就像一位穿着绿衣裳的姑娘正在照镜子梳妆打扮"，以及一首诗，将春天柳树美丽的姿态展现在我们眼前。

粉 笔

内蒙古 杨韬

粉笔是由石膏制成的，它是个圆柱体，长6至7厘米。这支粉笔的颜色是白色的。粉笔除了白色外，还有绿色、红色、黄色等等。粉笔能写字。数学老师用它来教我们解题，语文老师用它来教我们识字，美术老师用它来教我们画画……

从刚会数1、2、3的小朋友，到会解数学难题的小学生，都是老师用那支小小的粉笔教会我们的。日复一日，年复一年，小小的粉笔变成了一个粉笔头，直到最后消

shī　　tā péi yǎng le duō shǎo xué shēng chéng cái　　kě tā cóng lái méi yǒu yào guò bào
失，它培养了多少学生成才，可它从来没有要过报
chóu　　tā wèi wǒmen xī shēng le zì jǐ　　zhè zhǒng jīng shén zhí de wǒmen měi gè rén
酬。它为我们牺牲了自己，这种精神值得我们每个人
xué xí
学习。

名师点评

　　小作者简洁清晰地写出了粉笔的形状、颜色、用途及制成材料。更可贵的是小作者能由粉笔联想到"牺牲自己，不计报酬"的精神。

辣　椒

广东　王丽鸿

chūntiān　wǒ zài yángtái shàng de huāpén li zhòng le yì kē là jiāo shù　cóng bō
春天，我在阳台上的花盆里种了一棵辣椒树。从播
xià zhǒng zi hòu　wǒ jiù jīngcháng gěi tā jiāoshuǐ　shī féi　yīn cǐ tā zhǎng de shēng qì
下种子后，我就经常给它浇水、施肥，因此它长得生气

bó bó　yí piàn piàn yè zi lǜ
勃勃，一片片叶子绿
yóu yóu de　shí fēn yòu rén
油油的，十分诱人。

dào le shǔ jià　wǒ huí
到了暑假，我回
nǎi nai jiā qù zhù le yì zhōu
奶奶家去住了一周。
děng wǒ huí lái yí kàn　yīn tiān
等我回来一看，因天

太热没人给它浇水，辣椒树的叶子已经萎缩成一团，只有主茎还有点绿色。我想这下彻底完了，很后悔没把它托给谁来护理。可爸爸却不慌不忙地用剪刀剪掉干枯的枝叶，并叮咛我每天给它浇点水。经过我细心的护理，过了几天，辣椒树的枝干又长出了嫩叶儿，辣椒树的生命力可真强。

9月初，辣椒树的枝头挂满了花蕾，小花蕾一天天开放了，开出6个瓣的小白花。小花蕾凋谢后，青绿的小椒尖露了出来，在阳光的照耀下长得很快，也很多。我数了数，这棵辣椒树竟结了34个青椒。它是在报答我辛苦的劳动呢，还是不愿虚度一生，要给人们留下累累的果实？

我喜欢辣椒，喜欢它顽强的生命力，喜欢它坚韧向上的毅力，喜欢它勇于拼搏的精神，更喜欢和它一样顽强拼搏的人们。

 名师点评

人们只知道辣椒是辛辣的，不知道它生命力的顽强。这篇作文就是写它的生命力，你瞧，它几乎死亡了，但在人们的护理下，竟"起死回生"，还能有累累果实。在这样叙述的基础上，抒发赞颂之情是很自然的。

西 瓜

浙江 周芳

今天的天气可真热，树上知了叫个不停，我和爸爸决定去买一个大西瓜。

我们来到了集市，那里的西瓜可真多："金星一号"、"郑州三号"、"8424"……我和爸爸走到一个瓜摊前，只见一个个西瓜又大又圆，翠绿的果皮上还有一条条墨绿色的

花纹，真令人喜爱。

摊主看见顾客过来，便大声吆喝道："正宗的郑州三号，皮薄、瓜甜、汁水多，不买就错过机会了！"爸

爸蹲下身子，一手捧起一个大西瓜，另一手轻轻拍拍西瓜，只听见西瓜发出"嘭嘭"的响声。爸爸笑眯眯地说："好瓜！就买这个了"。

到家后，我迫不及待地跑到厨房，拿出西瓜刀，将刀按

zài xī guā shàng　　qīng qīng yí yòng lì　　zhǐ tīng　pā　de yì shēng　xī guā zì jǐ liè
在西瓜上，轻轻一用力，只听"啪"的一声，西瓜自己裂

kāi le　　　wā　wǒ bù yóu dé dà jiào qǐ lái　　zhēn shì míng bù xū chuán de　　zhèng
开了。"哇！"我不由得大叫起来，真是名不虚传的"郑

zhōu sān hào　zhè zhǐ xī guā pí báo　ráng hóng　zǐ hēi　guǒ zhēn shì shàng děng de
州三号"！这只西瓜皮薄、瓤红、籽黑，果真是上等的

hǎo guā　wǒ xùn sù qiē kāi xī guā　ná qǐ yí kuài kěn le qǐ lái　a　　yì gǔ yòu liáng
好瓜。我迅速切开西瓜，拿起一块啃了起来，啊！一股又凉

yòu tián de zhī shuǐ lì jí yǒng rù wǒ de hóu lóng　zhēn shì qiè yì jí le　wǒ chī le yí kuài
又甜的汁水立即涌入我的喉咙，真是惬意极了！我吃了一块

yòu yí kuài　bí jiān　zuǐ jiǎo zhān mǎn le xī guā zǐ　bà ba mā ma kàn jiàn wǒ zhè fù
又一块，鼻尖、嘴角沾满了西瓜籽。爸爸妈妈看见我这副

chán xiàng　dōu lè le
馋相，都乐了。

xī guā zhēn shì hǎo dōng xi　jì hǎo chī yòu jiě shǔ　míng tiān wǒ yí dìng yào bà ba
西瓜真是好东西，既好吃又解暑。明天我一定要爸爸

zài qù mǎi yí gè dà xī guā
再去买一个大西瓜。

名师点评

　　怎样形容西瓜好，可以多一些角度。作文首先挑选拍西瓜的声音，接着写用力切西瓜时的情景，然后又形容"皮薄、瓤红、籽黑"，最后写瓜甜而汁多；此外，还用吃的时候的一副馋相来衬托。

我家的小白鸽

　　广东　刘东竞

wǒ jiā yǒu yì zhī bái sè de xiǎo gē zi　tóu shàng de máo hái méi zhǎng qí　　yì
我家有一只白色的小鸽子，头上的毛还没长齐，一

zhāng kāi chì bǎng jiù lòu chū xiàmiàn de hóng pí fū
张 开 翅 膀 就 露 出 下 面 的 红 皮 肤。

tā de shēn shàng zhǎng zhe ruǎn mián
它 的 身 上 长 着 软 绵

mián de bái róng máo pèi shàng tā jiān jiān de hóng zuǐ ba hé xì xì de xiǎo hóng jiǎo tè
绵 的 白 绒 毛，配 上 它 尖 尖 的 红 嘴 巴 和 细 细 的 小 红 脚，特

bié hǎo kàn běn lái tā shì hé xiǎo huǒ bàn yì qǐ dào wǒ men jiā de qián liǎng tiān
别 好 看。本 来，它 是 和 小 伙 伴 一 起 到 我 们 家 的。前 两 天，

xiǎo huǒ bàn shēng bìng sǐ le tā hěn
小 伙 伴 生 病 死 了。它 很

mēn měi tiān dōu gū gū de
闷，每 天 都 "咕 咕" 地

jiào pāi dǎ zhe chì bǎng xiǎng chū lái
叫，拍 打 着 翅 膀 想 出 来

zhǎo péng you yú shì wǒ hé jiě jie
找 朋 友。于 是，我 和 姐 姐

měi tiān yí fàng xué jiù péi zhe tā hái
每 天 一 放 学 就 陪 着 它，还

yòng shuǐ hé suì yù mǐ wèi tā
用 水 和 碎 玉 米 喂 它。

kàn zhe xiǎo bái gē yì tiān tiān de
看 着 小 白 鸽 一 天 天 地

zhǎng dà wǒ xīn li kě gāo xìng le
长 大，我 心 里 可 高 兴 了，

lián zuò mèng dōu mèng jiàn tā zài gēn wǒ shuō huà ne
连 做 梦 都 梦 见 它 在 跟 我 说 话 呢。

 名师点评

人们有责任和义务照顾比我们弱小的生命。小作者描写了一只可爱的小白鸽，写出孤独的小白鸽对朋友的渴望及我和姐姐如何去照顾小白鸽，充满着浓浓的人情味。

我爱水仙花

湖南 伍艺

chūn jié qián bà ba mǎi le yì kē shuǐxiānhuā
春节前，爸爸买了一棵水仙花。

yì tiān shuǐxiānhuāzhǎngchū le yì gēnhuājìng huājìngshàngshēngchūsān gè
一天，水仙花长出了一根花茎，花茎上生出三个

xíngzhuàngxiàngbiǎndòujiǎo yí yàng de huā gū duo er wàimiànbāozhe yì céngtòumíng
形状像扁豆角一样的花骨朵儿，外面包着一层透明

de pí er
的皮儿。

yòuguò le jǐ tiān tòu
又过了几天，透

míng de pí er bèidǐng pò le
明的皮儿被顶破了，

huā bàn xiàng wài shēn zhǎn
花瓣向外伸展，

ér lǐ miàn de jǐ cénghuābàn
而里面的几层花瓣

er hái jǐn jǐn de hé lǒngzài yì
儿还紧紧地合拢在一

qǐ màn màn de zhěng
起。慢慢地，整

duǒhuāquánkāi le
朵花全开了。

nǐ kàn báibái de huābàn er yì céng yì céng zhōngjiān shìhuáng sè de huā ruǐ
你看，白白的花瓣儿一层一层，中间是黄色的花蕊，

wǒwén le yí xià qīngxiāng lǐ háidàizhe yì diǎntiánwèi xiūcháng bì lǜ de yè zi chèn
我闻了一下，清香里还带着一点甜味。修长碧绿的叶子衬

tuōzhebái sè huāduǒ duōmexiù lì dàn yǎ de shuǐxiānhuā ya
托着白色花朵，多么秀丽淡雅的水仙花呀！

名师点评

小作者想象丰富，思维有条理，重点写了水仙花的生长和开花过程。最后着重写了自己的感受，抒发了自己对水仙花的喜爱之情。

孔雀开屏

江苏 张建红

真没想到，爸爸居然答应带我到动物园去玩。我高兴得一夜都没有合眼。第二天，到了动物园，我就径直来到孔雀馆前，想欣赏它开屏时的优美姿态。

孔雀可有点骄傲，你瞧！它拖着金碧闪亮的长翎子，显得又矜持，又傲气。一只彩色的蝴蝶飞舞着。那孔雀上去就扑，没扑着，抖动尾巴叫了几声，还嫉妒人家的美呢。

zhǐ jiàn kǒng què shén qì de zǒu zhe　　tā kàn jiàn rén men chuān zhe huā huā lǜ lǜ de
只见孔雀神气地走着，它看见人们穿着花花绿绿的

yī fú　zài yě rěn bú zhù le　bǎ wěi ba dǒu de huā huā xiǎng　nà piào liang de wěi ba jiù
衣服，再也忍不住了，把尾巴抖得哗哗响，那漂亮的尾巴就

xiàng xiān nǚ shǒu zhōng de cǎi shàn　màn màn sàn kāi　yòu xiàng tòu liàng de zhēn zhū sǎ
像仙女手中的彩扇，慢慢散开，又像透亮的珍珠撒

zài tā shēn shàng　fēi cháng měi lì　wěi ba yì kāi píng　xiān yàn duó mù　wǔ guāng
在它身上，非常美丽。尾巴一开屏，鲜艳夺目，五光

shí sè　shǐ rén yǎn huā liáo luàn　nà xiē xiàng táo huā xíng de huā wén　wài miàn yì quān
十色，使人眼花缭乱。那些像桃花形的花纹，外面一圈

shì huī sè de　dì èr quān shì qiǎn lán sè de　zuì hòu yì quān shì bǎo shí lán de　hái dài yǒu
是灰色的，第二圈是浅蓝色的，最后一圈是宝石蓝的，还带有

diǎn àn hóng sè de　zhēn piào liang　tā kě shén qì le　áng zhe tóu　tǐng zhe xiōng
点暗红色的，真漂亮。它可神气了，昂着头，挺着胸

pú　lái huí zhuàn yōu　xuàn yào zhe zì jǐ de měi lì
脯，来回转悠，炫耀着自己的美丽。

zhè shí　wǒ xiǎng qǐ le céng jīng kàn guò de yí gè gù shì　jiāo ào de kǒng què
这时，我想起了曾经看过的一个故事《骄傲的孔雀》。

wǒ xiǎng　wài biǎo zài měi yě bù néng xiàng kǒng què nà yàng jiāo ào　yīng gāi yǒng yuǎn
我想，外表再美也不能像孔雀那样骄傲，应该永远

zuò yí gè qiān xū de rén
做一个谦虚的人。

 名师点评

　　孔雀，当然写它的开屏最有特色。开屏虽美，但还需写得
细致才能充分显示出来。作文是分两个步骤来写的：伴随着声
响，像展开大扇子，像撒下了珍珠呈现了动态；开屏后，通体
来说，是五光十色，鲜艳夺目。就每一个桃形花纹来说，却又
三圈不一样。这是一幅多美的图案啊！

遥控小汽车

安徽 丁 清

wǒ shì yáo kòng xiǎo qì chē　shēn chuān wǔ yán liù sè de wài yī　kě piào liang la
我是遥控小汽车，身穿五颜六色的外衣，可漂亮啦！

lìng wài　lún zi shì wǒ de　shǒu　hé　jiǎo　hēi sè de chuāng hù shì wǒ de　yǎn
另外，轮子是我的"手"和"脚"。黑色的窗户是我的"眼

jing　wǒ hái yǒu yí duì diàn xiàn gǎn sì de　ěr duo　suí shí tīng cóng　hǎo bāng
睛"，我还有一对电线杆似的"耳朵"，随时听从"好帮

shǒu　yáo kòng qì de zhǐ lìng
手"——遥控器的指令。

qí shí　yào zhǐ huī wǒ hěn jiǎn dān　zhǐ yào xiān zhuāng shàng wǔ hào diàn chí　rán
其实，要指挥我很简单。只要先装上五号电池，然

hòu　yòng yáo kòng qì cāo zòng　wǒ jiù huì
后，用遥控器操纵，我就会

huó　qǐ lái　xiàng qián　xiàng hòu　jiā
"活"起来：向前、向后、加

sù　jiǎn sù　dǎ zhuàn　guǎi wān　yuè guò
速、减速、打转、拐弯、越过

zhàng ài wù dōu shì wǒ men de ná shǒu hǎo xì
障碍物都是我们的拿手好戏。

wǒ men yáo kòng xiǎo qì chē de fā zhǎn sù dù
我们遥控小汽车的发展速度

kuài de cóng pǔ tōng dào gāo jí　cóng gāo jí
快得从普通到高级，从高级

dào chāo jí　duǎn duǎn jǐ nián　jiù xíng
到超级……短短几年，就形

chéng le yí gè páng dà de yáo kòng xiǎo qì chē jiā zú　wǒ men yǒu xiē chéng yuán　hái
成了一个庞大的遥控小汽车家族，我们有些成员，还

pěng huí guò　chuàng xīn　jiǎng bēi ne　zhè dōu shì rén lèi zhì huì de jié jīng
捧回过"创新"奖杯呢！这都是人类智慧的结晶。

小学生看图作文

最后，我们家族的各个成员想对小朋友提些意见：要爱惜我们。不要有了新玩具就忘了老朋友，要知道，我们最怕孤独，希望你们经常和我们保持联络。另外，请小朋友不要把我们搞残废，使我们缺"胳膊"少"腿"的。以上是我们的要求，如果你按照我们的要求去做，我们会很感激你们的，并永远做你们的好朋友。

总而言之，我们在世界各地深受小朋友的喜爱，有些小朋友还专门收藏我们呢！

名师点评

这是一篇用拟人方法写的作文，写的是孩子们最喜欢的遥控汽车。这篇作文的首、尾两部分很有特色：一开头就作了自我介绍，并用了一连串的比喻，这些比喻的运用都符合遥控汽车的特点。结尾部分根据小朋友常有的坏习惯，提出了中肯的意见。

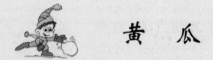

黄 瓜

河北 裴晓园

我的名字叫"黄瓜"。

我的外表并不特别。我既没有百花那样绚丽多彩，也没有苹果那样红润光滑，更没有菠萝那种诱人的香味。我的茎呀，是青褐色的。像一条细麻绳。茎上长着一片片巴掌似的叶子。叶子是嫩绿色的。

初夏的时候，我就开花结果了。我嘛，看到这灿烂的阳光，知道

是开花的大好时光，连忙大大咧咧地伸出五片黄色的花瓣，让藏在里面的浓郁香气散发出来，在空中飘荡。

没过几天，从花的尾柄上结出了一些细嫩翠绿的小黄瓜，一条、两条……渐渐地，我们这些又细又小的小黄瓜长大了。我们开始是青绿色的，后来都成了深绿色的。日子一天天过去了。如今，我们已经长成了"大人"，颜色又由深绿变成了黄绿色。我的作用挺大。我能帮人美容，还能清凉解暑。我的营养不少，含有大量的维生素，也就是说，我是一种营养丰富的食品。

名师点评

用比喻要学会"连续发展"。文中，怎么比喻黄瓜的？从"小孩子"再到"大孩子"。这连续的比喻写出于黄瓜日渐的变化过程。

一幅画

北京 史丰

　　jiù jiu gěi wǒ jiā sòng lái yí fú hěn dà de huà　　cháng yuē　mǐ　kuān yě yǒu
舅舅给我家送来一幅很大的画，长 约1米，宽也有60

duō lí mǐ　jiù jiu bǎ tā guà zài xuě bái de qiáng shàng　yí fú měi lì zhuàngguān de tú
多厘米。舅舅把它挂在雪白的 墙 上，一幅美丽 壮 观的图

huà jiù zhǎn xiàn zài yǎn qián　wǒ qíng bú zì jīn de hǎn le qǐ lái　　ya hǎo měi ya
画就展 现在眼前，我情不自禁地喊了起来："呀！好美呀"！

　　　　　　wǒ zǐ xì de kàn zhe zhè fú huà　zhǐ jiàn
　　　　我仔细地看着这幅画，只见

yuǎn chù de qīng shān wù qì máng máng　shān
远处的青山雾气茫 茫，山

jiān yǒu yì tiáo pù bù　yín guāng shǎn shǎn　tā
间有一条瀑布，银光 闪 闪，它

xiàng jǐn duàn yí yàng yíng rào zhe shān yāo　shǐ
像锦缎一样萦绕着山腰，使

qīng shān xiǎn de gèng jiā xióng wěi　duō zī
青山 显得更加雄 伟、多姿。

jīn sè de yáng guāng　gěi cuì lǜ de qún
金色的阳 光，给翠绿的群

shān pī shàng le yàn lì de qīng shā　cǎi xiá qǐ
山披 上 了艳丽的轻纱。彩霞起

luò yún wù liáo rào qià sì cháng é wǔ xiù a yún wù mí méng de shān fēng zài
落，云雾缭绕，恰似嫦娥舞袖，啊，云雾迷蒙的山峰，在

càn làn de yáng guāng huī yìng xià xiǎn de nà me xiù lì
灿烂的阳光辉映下，显得那么秀丽！

yuǎn chù gǔ mù cān tiān liú shuǐ chán chán yán sè gè yì de yě huā sàn fā chū
远处，古木参天，流水潺潺，颜色各异的野花散发出

zhèn zhèn yōu xiāng
阵阵幽香。

zài yì kē gǔ sōng páng biān zhàn zhe yí duì bái hè tóu shàng dài zhe yì dǐng hóng
在一棵古松旁边，站着一对白鹤，头上戴着一顶红

yīng mào jiān jiān de zuǐ cháng cháng de tuǐ xuě bái de chì bǎng xiàng liǎng bǎ yín shàn
缨帽，尖尖的嘴，长长的腿，雪白的翅膀像两把银扇

zi kàn yǒu yì zhī hè shēn cháng le bó zi zhēng zhe zhēn zhū bān de yǎn jing xiàng
子，看，有一只鹤伸长了脖子，睁着珍珠般的眼睛，向

sì zhōu guān kàn zhe hǎo xiàng zài xīn shǎng zhè xióng wěi mí rén de jǐng sè
四周观看着，好像在欣赏这雄伟迷人的景色。

名师点评

　　这篇看图作文，是按由远到近的观察顺序来写的。先写远
处景物：青山、云雾、瀑布。小作者把彩霞起落、云雾缭绕浮
动比作"嫦娥舞袖"，使静态的事物具有了动态的美，写得真切
自在，又富有美感。再写近处的景物。大树、流水、野花，写
得比较概括。着重是对一对白鹤的外表、神态作了生动的描述。

 # 小刺猬

　　湖南　贺凤娇

cháng cháng zài dòng huà piān zhōng kàn jiàn xiǎo cì wei hān tài kě jū de mú yàng
常　常在动画片中看见小刺猬憨态可掬的模样：

圆滚滚的，毛茸茸的；等它走近，呀！原来身上全是长长的刺。要是它在苹果园里来个前滚翻，一转眼满身扎上一个个红苹果，身子大了一圈，也漂亮了许多。

偶然在同学家里见到刺猬的真面目。它可不如我想象中那么漂亮，不过挺机灵的。只要一有动静，它会迟疑地抬起脑

袋，把四条小腿缩进去，一眨眼的工夫就缩成一个刺球。后来，又慢慢地伸展开身子，用腿踏着冰凉的地面，像一个会滑动的灰团子一样滚起来，一头撞在花盆上，转身又踏着干枯的叶子滚开去，一副机灵的样子。真的很有趣！

 名师点评

动画片中的刺猬可与现实生活中刺猬互补，本文为大家展示了作者眼中的小刺猬有趣的形象。

我爱吃家乡的太子米

湖北 康 凯

yǒurénshuō zōugāng tài zi mǐ tiānxià shǔ dì yī zài jiā xiāng wǔ huā bā mén
有人说：邹刚太子米，天下数第一。在家乡五花八门
de wù chǎn zhōng wǒ zuì xǐ ài tài
的物产中，我最喜爱太
zi mǐ
子米。

tài zi mǐ chǎn yú hú běi shěng xiào
太子米产于湖北省孝
chāng xiàn niú jì shān yí dài jù shǐ shū
昌县牛迹山一带。据史书
jì zài tánggāo zǔ lǐ yuān nán xún tú jīng
记载，唐高祖李渊南巡途经
cǐ dì pǐn cháng gāi mǐ hòu zàn bù jué
此地，品尝该米后，赞不绝
kǒu lì jí jiāng gāi mǐ liè wéi gòng mǐ
口，立即将该米列为贡米。

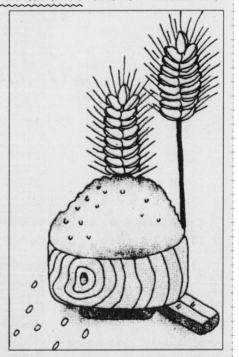

yīn wèi huáng tài zi zuì wéi xǐ ài bìng
因为皇太子最为喜爱，并
jiāng qí zuò wéi zhǔ shí yú shì jiù mìng
将其作为主食，于是，就命
míng wéi tài zi mǐ le
名为太子米了。

tài zi mǐ mǐ lì jūn yún báijìng chī dào zuǐ li fāngxiāng fù yù huí wèi wú qióng
太子米米粒均匀、白净，吃到嘴里芳香馥郁，回味无穷。
tā hái shì guó biāo chǎn pǐn ne
它还是国标产品呢！

bǎiwén bù rú yì cháng rú guǒ nǐ xiǎnglǐng lüè yí xià lián huáng tài zi dōu ài chī de
百闻不如一尝，如果你想领略一下连皇太子都爱吃的

dà mǐfàn   nà jiù qǐngdàowǒ jiā lái zuò kè ba   bǎo nǐ wèikǒu dà kāi
大米饭，那就请到我家来做客吧，保你胃口大开。

名师点评

　　小朋友结合图画联系自己的生活实际，介绍了太子米的产地，太子米名称的由来，并且夸赞自己的家乡，表达了热爱家乡的深情，描写清楚，抒情自然。

小鸭出世了

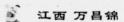江西 万昌锦

zuótiān   wǒ qù kànwàngwài pó   yí jìn mén biàn kàn dào qiáng jiǎo xià de lóng zi
　　昨天，我去看望外婆。一进门便看到墙脚下的笼子

lǐ dūnzhe yì zhī mǔ yā   wǒ jīng qí de jiào qǐ lái   wài pó   mǔ yā zěn me le   wài
里蹲着一只母鸭。我惊奇地叫起来："外婆，母鸭怎么了？"外

pó xiàozhe shuō   shǎhái zi
婆笑着说："傻孩子，

yā mā ma zhèng zài zuò yuè zi
鸭妈妈 正 在 坐月子。

tā bǎ hǎoduō yā dàn dōuzhào zài
它把好多鸭蛋都罩在

chì bǎng xià miàn   zhěng zhěng
翅膀下面，整 整

dūn le yí gè yuè le   jīn tiān
蹲了一个月了。今天，

xiǎo yā yào chū shì le   zhǐ hǎo
小鸭要出世了，只好

bàndūnzhe
半蹲着。"

wǒ hào qí de zǒu dào mǔ yā shēn biān   zǐ xì yì qiáo   a   yā māma de chì bǎng
我好奇地走到母鸭身边，仔细一瞧。啊，鸭妈妈的翅膀

xià   yǒu jǐ gè dàn dòng qǐ lái le   jǐ zhī xiǎo yā yǐ jīng yòng xiǎo zuǐ er zhuó pò le dàn ké
下，有几个蛋动起来了。几只小鸭已经用小嘴儿啄破了蛋壳

er   cóng dàn ké er lǐ zuān le chū lái   hún shēn shī lù lu de
儿，从蛋壳儿里钻了出来，浑身湿漉漉的。

huì dòng de dàn ké er yuè lái yuè duō   yí gè ge xiǎo nǎo dai fēn fēn shēn chū lái
会动的蛋壳儿越来越多，一个个小脑袋纷纷伸出来，

gā   gā   gā   de jiào gè bù tíng   qiáo   tā men duō kě ài ya
"嘎、嘎、嘎"地叫个不停，瞧，它们多可爱呀！

名师点评

　　小作者观察细致、想象力也很丰富。尤其描写小鸭出世时用词很准确，使读者读后有身临其境之感。"小眼睛、小脑袋"也写出了小作者的纯真与小鸭的可爱。

我爱故乡的桃子

河南　粟　戈

wǒ de gù xiāng zài hé nán   wǒ ài gù xiāng de táo zi
我的故乡在河南，我爱故乡的桃子。

yáng chūn sān yuè   fěn hóng de táo huā cù yōng zài zhī tóu   bǎ táo shù dǎ bàn de
阳春三月，粉红的桃花簇拥在枝头，把桃树打扮得

xiàng yí wèi xīn niáng
像一位新娘。

méi yǒu shóu tòu de táo zi shì lǜ sè de   ér qiě hěn yìng   yǒu de hái lüè dài kǔ wèi
没有熟透的桃子是绿色的，而且很硬，有的还略带苦味；

chéng shú de táo zi   zé shì cuì tián cuì tián de   jiào rén yuè chī yuè ài chī
成熟的桃子，则是脆甜脆甜的，叫人越吃越爱吃。

gù xiāng de táo zi gè er yǒu dà yǒu xiǎo
故乡的桃子个儿有大有小。

zhǒng lèi hěn duō yǒu chūn táo xiān táo
种类很多，有春桃、仙桃、

fú táo jiǎ táo qiū táo děng ō hái yǒu
伏桃、甲桃、秋桃等。噢，还有

yì zhǒng jiào wǔ yuè xiān de táo zi ne xiǎo
一种叫五月仙的桃子呢！小

péng you yǒu jī huì qǐng dào wǒ men gù xiāng
朋友，有机会请到我们故乡

lái zuò kè wǒ huì yòng jiā xiāng de táo zi rè
来做客，我会用家乡的桃子热

qíng zhāo dài nǐ men de
情招待你们的！

 名师点评

　　本文的小作者观察细致，抓住家乡桃子的颜色、味道及种类来写，描写得具体、形象。语言纯真、优美。在结构上注意首尾的照应，使文章连贯完整。是一篇佳作。

大 红 枣

🌰 河南　张红梅

wǒ de zǔ jí zài gé mìng lǎo qū shān dōng yí méng shān dì qū jù yé ye nǎi nai
我的祖籍在革命老区山东沂蒙山地区。据爷爷、奶奶

jiǎng nà er kě hǎo wán le hái yǒu hěn duō tè chǎn rú huā shēng hóng shǔ gān
讲，那儿可好玩了，还有很多特产，如：花生、红薯干

děng dàn zuì yǒu míng de yào shǔ dà hóng zǎo
等，但最有名的要数大红枣。

chūchūn　chūn fēng chuī
初春，春风吹

lù le dà dì　　yě huàn xǐng le
绿了大地，也唤醒了

chénshuì de zǎoshù　　bù zhī bù
沉睡的枣树。不知不

jué zhōng　zǎo huā kāi le
觉中，枣花开了，

mǎn shù dàn huáng sè de zǎo huā
满树淡黄色的枣花

xiàng xīng xīng yí yàng diǎn zhuì zài zhī tóu　zǎo huā sàn fā chū xiāng wèi　　yǐn lái chéng qiān
像星星一样点缀在枝头。枣花散发出香味，引来成千

shàng wàn de mì fēng　wēng weng de máng gè bù tíng　shǔn xī zhe huā mì　méiguò
上万的蜜蜂，嗡嗡地忙个不停，吮吸着花蜜。没过

duō jiǔ　zǎo huā xiè le　jié chū yí gè ge lǜ dòu dà xiǎo de qīng dòu dou　dào le qiū tiān
多久，枣花谢了，结出一个个绿豆大小的青豆豆。到了秋天，

zǎo shóu le　nǐ kàn nà zǎo shù　hè sè de shù gān　lǜ sè de yè zi　hóng sè de guǒ
枣熟了，你看那枣树：褐色的树干，绿色的叶子，红色的果

shí　hǎo kàn jí le　nà shóu tòu de hóng zǎo xī li huá la de luò xià lái　cháng rě de hái
实，好看极了。那熟透的红枣稀里哗啦地落下来，常惹得孩

zi men lái dǎ zǎo chī
子们来打枣吃。

hóng zǎo de yíng yǎng jià zhí hěn gāo　　gāng gāng chéng shú de hóng zǎo yòu tián yòu
红枣的营养价值很高，刚刚成熟的红枣又甜又

cuì　zuì hǎo chī　shài gān yǐ hòu　kě yǐ shēng chī　zhǔ zhe chī　kě yǐ jiā gōng chéng
脆，最好吃。晒干以后，可以生吃，煮着吃，可以加工成

wú hé mì zǎo　　hái kě yǐ rù yào ne
"无核蜜枣"，还可以入药呢！

jiā xiāng de hóng zǎo zhēn yòu rén　wǒ xiǎng jīn nián qiū tiān huí lǎo jiā cháng chang xīn
家乡的红枣真诱人，我想今年秋天回老家尝尝新

zǎo de xiāng tián
枣的香甜。

名师点评

> 　　大红枣的一生都有引诱力。开花的时分，散发着香味，引来了蝴蝶和蜜蜂。这是一幅闹盈盈的画面。结了果实，引来孩子们，这又是一幅生动的画面。

最佳医生

江苏　强　健

　　mián huā gū niang shēng bìng le　　yè zi shàng zhǎng mǎn le yá chóng　　tā dī zhe
　　棉花姑娘生病了，叶子上长满了蚜虫，她低着
tóu　wān zhe liǎn　liǎn sè hěn bù hǎo kàn　zhěng tiān chóu méi kǔ liǎn de kū　tā duō me
头，弯着脸，脸色很不好看，整天愁眉苦脸地哭，她多么
pàn wàng yí wèi gāo míng de yī shēng lái gěi tā zhì bìng ya
盼望一位高明的医生来给她治病呀。

　　zhè shí　　yì zhī zhuó mù niǎo shān dòng zhe měi lì de chì bǎng fēi lái le　　mián huā
　　这时，一只啄木鸟扇动着美丽的翅膀飞来了，棉花

gū niang kěn qiú de shuō
姑娘恳求地说：

zhuó mù niǎo yī shēng
"啄木鸟医生，

qǐng nín bāng wǒ zhuō zhuō yá
请您帮我捉捉蚜

chóng ba　　zhuó mù niǎo
虫吧！"啄木鸟

wéi nán de shuō　　wǒ zhǐ
为难地说："我只

huì zhuō shù gān de hài
会捉树干的害

chóng　　bú huì zhuō yá chóng　　nín qǐng bié de yī shēng bāng máng ba　　shuō wán jiù fēi
虫，不会捉蚜虫，您请别的医生帮忙吧。"说完就飞

zǒu le　　yí huì er　　yì zhī qīng wā yí bèng yí tiào de guò lái le　　mián huā gū niang lián
走了。一会儿，一只青蛙一蹦一跳地过来了。棉花姑娘连

máng shuō　　qīng wā yī shēng　　qǐng nín bāng wǒ zhuō zhuō yá chóng ba　　qīng wā yáo
忙说："青蛙医生，请您帮我捉捉蚜虫吧！"青蛙摇

yáo tóu shuō　　wǒ zhǐ huì zhuō dào tián lǐ de hài chóng　　bù huì zhuō yá chóng　　nín qǐng
摇头说："我只会捉稻田里的害虫，不会捉蚜虫，您请

bié de yī shēng ba　　shuō wán yě zǒu le
别的医生吧！"说完也走了。

hū rán jǐ zhī yuán yuán de xiǎo chóng fēi lái le　　tā men yí jiàn yá chóng jiù dà kǒu
忽然几只圆圆的小虫飞来了。它们一见蚜虫就大口

dà kǒu de chī qǐ lái　　mián huā gū niang jīng qí de wèn　　nǐ men jiào shén me míng zi
大口的吃起来。棉花姑娘惊奇地问："你们叫什么名字

ya　　xiǎo fēi chóng shuō　　wǒ men shēn shàng yǒu qī gè xiǎo hēi diǎn　　xiàng qī kē
呀？"小飞虫说："我们身上有七个小黑点，像七颗

xīng xing　　dà jiā jiào wǒ men qī xīng piáo chóng　　bù jiǔ　　mián huā gū niang de bìng hǎo
星星，大家叫我们七星瓢虫。"不久，棉花姑娘的病好

le　　yòu zhǎng chū le lǜ yóu yóu de yè zi　　jiē chū le yòu dà yòu bái de mián táo　　tā liě
了，又长出了绿油油的叶子，结出了又大又白的棉桃。她咧

zhe zuǐ gē gē de xiào le　　tā duì qī xīng piáo chóng shuō　　xiè xie nǐ men　　wǒ qǐng dào
着嘴格格地笑了。她对七星瓢虫说："谢谢你们，我请到

le zuì jiā de yī shēng
了最佳的医生！"

 名师点评

　　这是一个科学知识的故事。主要写了棉花姑娘生病后请了好几位医生给她治病，最后是七星瓢虫给她治好了病，使她恢复健康的事。图中七星瓢虫是最佳医生，因为它是吃蚜虫的能手。作者在仔细观察画面的基础上扣住中心，抓住重点具体记叙。

可爱的小白兔

🐰 山东　王妍心

wǒ jiā yǎng le yì zhī xiǎo bái tù　tā de máo shì xuě bái de　wǒ jiào tā　bái xuě
我家养了一只小白兔。它的毛是雪白的，我叫它"白雪"。

báixuě zhǎngzhe yì shuāng cháng cháng de ěr duo　yí duì hóng bǎo shí shì de yǎn jing shǎn
白雪长着一双长长的耳朵，一对红宝石似的眼睛闪

shǎn fā liàng　sān bàn zuǐ er chī qǐ dōng xi lái　yì cuō yì cuō de　duǎn duǎn de wěi
闪发亮，三瓣嘴儿吃起东西来，一撮一撮的，短短的尾

ba　yí qiào yí qiào de　kě yǒu qù
巴，一翘一翘的，可有趣

le　bái xuě de qián tuǐ duǎn　hòu
了。白雪的前腿短，后

tuǐ cū zhuàng yǒu lì　pǎo shí hòu
腿粗壮有力。跑时，后

tuǐ yì dēng　jiù xiàng qián cuān yì
腿一蹬，就向前蹿一

jié　yàng zi hěn xiàng tiào　yào shì
截，样子很像跳。要是

pǎo kuài le　jiù xiàng xuě qiú zài dì shàng gǔn　hǎo kàn jí le　wǒ zhēn xǐ huān tā
跑快了，就像雪球在地上滚，好看极了。我真喜欢它。

名师点评

这篇看图短文用形象的语言突出了小白兔的可爱。既准确
又有趣。

我爱小草

福建 李蕴娴

说起小草，人们就会把它当做弱小的象征。的确，它是那么的弱小，连一滴小小的露珠都能把它的叶子压得很垂。

我却很喜欢小草，不仅因为它报告着春天的到来，象征着新生命的开始，更重要的是它那令人敬佩的生命力。

相信大家一定听过一首名为《小草》的歌吧！正如歌中唱到的，小草不像大树那样高耸。能得意扬扬地伸向高空。看看大树，再看看小草，很自然地感觉到小草是那么小，其实它内心的力量却大得无法比喻。小草更不像鲜花那样鲜艳多姿。可是，如果没有小草的绿色，世界上的色彩会变得多么单调。

春天来了，小草破土而出，嫩嫩的、绿绿的散遍大地。一万棵、一亿棵……谁也数不清到底有多少棵。这么多的

xiǎocǎo jù jí zài yì qǐ　　zhēn kě wèi　　yě huǒ shāo bù jìn　　xǔ duō zhí wù dōu pà
小草聚集在一起，真可谓"野火烧不尽"。许多植物都怕

kuángfēngbàoyǔ　　kuángfēngbàoyǔ kě yǐ shǐhuābiàn de qī líng bā luò　　huācán yè bài
狂风暴雨。狂风暴雨可以使花变得七零八落，花残叶败，

shènzhì kě yǐ shǐ dà shù liángēn
甚至可以使大树连根

bá qǐ　　dàn shì tā duì ruò xiǎo
拔起，但是它对弱小

de xiǎo cǎo què háo wú bàn fǎ
的小草却毫无办法。

nín jiàn guò kuáng fēng bào yǔ
您见过狂风暴雨

guò hòu　　huā hé shù dōu biàn
过后，花和树都变

le yàng　　xiǎocǎoquè ān rán wú yàng de zhǎng zài dì shàng ma
了样，小草却安然无恙地长在地上吗？

xiǎocǎoshìpíngfán de　　tā de shēng mìng lì què shì wánqiáng de　　wǒmenzuòrén
小草是平凡的，它的生命力却是顽强的。我们做人

yě yīnggāibù pà zǔ lì　　zàirèn hé kùnnánmiànqiándōujiānqiáng bù qū
也应该不怕阻力，在任何困难面前都坚强不屈。

  名师点评

> 作者采用了对比的手法，写出了小草虽然弱小，不鲜艳，却十分顽强、伟大，结尾深化了主题。

我的书包

黑龙江　石拓

shūbāo　　tā shì wǒmenxuéshēngměitiān bù kě quēshǎo de huǒbàn　　yǒu le tā de
书包，它是我们学生每天不可缺少的伙伴，有了它的

帮助，我们的学习用品就有了它们的小天地。我的书包特别大，四四方方的，很挺括。它是双肩带的，背上它不至于让我很吃力；它的颜色是鲜红的，正面还有卡通图案，醒目极了；它不仅漂亮，而且功能齐全，里里外外确几个口袋，各有各的用途。

每天早晨，我背着书包，带着问题到学校，听老师传授知识，解答疑题。每天下午，我背着书包，把一天的收获带回家，继续咀嚼，直至消化。书包越来越重，我的肩膀也越来越硬。渐渐地，我脑子里的知识越来越多。老师，我要感谢你对我的教诲；书包，我也感谢你帮助我承载那么多的知识。

爷爷奶奶说他们小时候没有书包，用一块布包一本书就去上学了，所以他们说自己所学甚少。

爸爸妈妈说，他们小时候上学有了书包，那只是四块布围起来再加盖缝起来的。

书包，不大，所以他们说自己所学不多。爷爷、奶奶、爸

ba　　māmakàn le wǒ de shūbāo
爸、妈妈看了我的书包。

　　wā　　lǐ　miànzhèmeduōshū　yòuyǒuzhèmeduōkǒudài　dōusāidemǎnmǎnde
　　哇！里面这么多书，又有这么多口袋，都塞得满满的，
guàibù de zhīdào de dōng xī nà me duō　　dàn shì　　wǒ zhīdào yè jīng yú qín ér huāng yú
怪不得知道的东西那么多。但是，我知道业精于勤而荒于
xī　　jí shǐwǒyǒuzhè gè hǎohuǒbàn　　dàn rú guǒwǒlǎnduò bú yònggōng　shūbāo lǐ
嬉。即使我有这个好伙伴，但如果我懒惰不用功，书包里
zhuāng de zhīshi yě bú huìbiànchéngwǒ zì　jǐ suǒyōngyǒu de zhīshi
装的知识也不会变成我自己所拥有的知识。

　　shūbāo lǐ zhuāngzǎizhe shì zhīshi de zhǒng zi　　zhǒng zi sǎ zàiwǒmen de nǎohǎi
　　书包里装载着是知识的种子。种子撒在我们的脑海
li　sǎ zàiwǒmen de xīntián li　wǒ yí dìngyàoràngzhīshi jié chūfēngshuò de guǒshí
里，撒在我们的心田里。我一定要让知识结出丰硕的果实，
xiàngěibà bamāma　xiàngěijìng ài de lǎoshī　xiàngěiwǒjìng ài de zǔ guó　yě xiàngěi
献给爸爸妈妈，献给敬爱的老师，献给我敬爱的祖国，也献给
péibànwǒduōnián de hǎoyǒu　　shūbāo
陪伴我多年的好友——书包。

 名师点评

　　作文有较深的含义：书包为学生学习创造了条件，它是学生的好伙伴，我们得感激它；但拥有书包不等于就真正拥有知识和本领，要把书包里装载的知识播种在脑海里，结出硕果得付出辛勤的劳动。

应用篇

蚂蚁听童话

江苏 袁佳杰

5月5日 星期六 晴

今天，我写完作业，正专心致志地看着童话书。忽然，一只小蚂蚁悄悄地爬到书上。我知道它一定是来玩的，就给它讲《小天使与鞋匠》的童话故事。小蚂蚁听得津津有味，一动也不动。我把书翻到另一页，没想到，它也跟着爬到了另一页。就这样，它一连听了六七页，才心满意足地离开了书本。噢，原来小蚂蚁也爱听童话呀！

名师点评

　　小作者非常可爱，将一只小蚂蚁爬到书上的事想象得那么富有童趣，因而展现在我们面前的才有这样一幅蚂蚁与孩子的同乐图。

给妈妈的一封信

湖北　陈千红

qīn ài de māma
亲爱的妈妈：

nín hǎo　wǒ zhè gè xué qī de xué xí shēng huó kuài yào jié shù le　shàng gè yuè wǒ
　　您好！我这个学期的学习生活快要结束了。上个月我

men xué xiào jǔ xíng le xiào yuán kē jì jié　tóng xué men yòng líng qiǎo de shuāng shǒu zhì
们学校举行了校园科技节。同学们用灵巧的双手制

zuò le gè zhǒng gè yàng de kē jì xiǎo
作了各种各样的科技小

zuò pǐn　yǒu kě ài de bù wá wa　yǒu
作品：有可爱的布娃娃，有

wǔ huā bā mén de shù yè pīn tiē　yǒu
五花八门的树叶拼贴，有

wéi miào wéi xiào de cǎi sè ní sù xiǎo
惟妙惟肖的彩色泥塑小

dòng wù　hái yǒu xíng zhuàng gè yì de
动物，还有形状各异的

xiǎo mù chuán　xiǎo qì chē　wǒ shè jì zhì zuò de　xīn shì jì wén jù hé　huò de le
小木船、小汽车……我设计制作的"新世纪文具盒"获得了

chuàng zuò yì děng jiǎng　wǒ zhēn gāo xìng a
创作一等奖，我真高兴啊！

妈妈，再过两个月就要期末考试了。考完试，我要利用
暑假多看一些课外书，以崭新的面貌去迎接未来的挑战。

祝您身体健康，工作顺利！

您的女儿千红

4月15日

名师点评

> 这篇看图作文格式正确，内容有条理，证明小作者观察仔
> 细，想象丰富，将图画与实际生活联系起来，看起来小作者是
> 个有心人。

日益严重的白色污染

安徽 路畅

白色污染就是指废弃的塑料制品对环境的破坏。这些东西
（如一次性饭盒、马夹袋）使用方便。价格低廉，而且用完
就扔。因此，从它诞生开始便受到了使用者的青睐。但
随之而来的环境污染已开始让人们感到头疼了。尤其在客流
量很大的车站、码头、机场，这种污染更让人不堪

rù mù
入目。

gèng jiā ràng rén gǎn dào
更 加 让 人 感 到
jí shǒu de shì　zhè lèi fèi qì
棘 手 的 是，这 类 废 弃
wù jí shǐ shōu jí qǐ lái fàng
物 即 使 收 集 起 来 放
rù lā jī duī chǎng
入 垃 圾 堆 场，100
nián yě bú huì bèi fēn jiě
年 也 不 会 被 分 解。

jù tǒng jì　zhōng guó zì　nián dài yǐ lái　sù liào fèi qì wù　tū fēi měng
据 统 计，中 国 自 90 年 代 以 来，塑 料 废 弃 物 "突 飞 猛
jìn　　nián yǐ dá　　wàn dūn　xiāo chú bái sè wū rǎn yǐ chéng wéi zhōng guó nǎi
进"，1995 年 已 达 200 万 吨。消 除 白 色 污 染 已 成 为 中 国 乃
zhì shì jiè gè guó zhì lì yán jiū de huán bǎo xīn kè tí
至 世 界 各 国 致 力 研 究 的 环 保 新 课 题。

 名师点评

　　白色污染日益恶化着我们的环境。作者抓住这一有关人类
生存的问题，写乡自己的观察和思考。文中的 "头疼"、"棘手
" 都是很有表现力的词语。

 世界人种之一——白色人种

江苏　卢丽丽

shēng huó zài dì qiú shàng de rén zhǒng　gēn jù tā　tā　men de pí fū máo fà
生 活 在 地 球 上 的 人 种，根 据 他（她）们 的 皮 肤 毛 发，

眼睛等外表特征，可分为白色人种、黄色人种、黑色人种和棕色人种。今天，我主要为大家介绍白色人种。

白种人因其皮肤白晰故而得名。他们前额开阔，眼眶深陷，眉骨突出，眼睑较宽，鼻梁挺直，线条才和轮廓分明。眼珠的颜色有多种：蓝、棕、灰、绿等。

白种人是世界上分布最广的人种。

白色人种主要分布在欧洲、美洲、大洋洲、非洲北部、亚洲南部和西部。欧洲人、美国人大多属于白色人种。

 名师点评

　　我们常说外国人的皮肤白、鼻子挺，这正是白种人的特征。文章先写了世界人种的分类，然后重点介绍了白种人在皮肤、毛发、脸型、眼珠等方面的特点和分布情况。文章从整体写到局部，有面有点。

国庆节

香港 白德全

10月1日 星期日 晴

今天是国庆节，妈妈带我上街去。我问妈妈："为什么要挂这么多国旗呢？"妈妈说："五星红旗是用无数革命先烈的鲜血和生命换来的，所以我们要格外珍惜呀！"回到家里，我也做了一面五星红旗，

挂在我家的阳台上。微风吹来，鲜艳的红旗迎风飘扬。

 名师点评

在孩子的心目中，五星红旗就是我们祖国的象征。所以，小作者虽然写的是国庆节，却是通过"看红旗、问红旗、答红旗、做红旗、挂红旗"来表现国庆节的意义和气氛，自然而巧妙。

全国助残日

江苏 相勇

2001年5月20日 星期日 晴

5月20日是"全国助残日"，中央电视台播放了由残疾人表演的晚会，有歌曲、舞蹈、小品等精彩节目。有一位失去一条手臂的叔叔不但笛子吹得好，而且还会拉二胡，真叫人惊讶！聋哑学校的小朋友表演了舞蹈，跳得美极了。他们听不到一点儿音乐，由舞蹈老师在台下做示范，他们跟着跳，真不简单！晚会的最后是一对盲人双胞胎兄弟演唱。显然，他们的眼睛看不见了，但他们的歌声打动了在场的每一个人，大家都激动得流下了眼泪。

名师点评

小作者观察得很细致。想象丰富，记事也很有条理，按照出场表演的先后顺序来写。尤其是一边叙事，一边能写出自己的感受，这一点很好。

一颗流星

浙江　黄威娜

2000 年 11 月 4 日　星期六　晴

晚上，我和爷爷在郊外散步。忽然，我看见天上有一颗星星，忽闪忽闪的，像飞机尾灯似的在天空中飞过。爷爷告诉我那是一颗流星。民间传说见到流星可以许愿，于是，我心里就默默地祈祷：愿贫困山区的小朋友在严寒的冬天时，能穿上厚厚的棉袄，坐在明亮的教室里面好好学习；我希望台湾早日回归祖国，台湾的小朋友也能和我们

yì qǐ cān jiā　 shǒu lā shǒu chú yīng zhēng zhāng　 huó dòng　 rén rén zhēng zuò　 shì
一起参加"手拉手雏鹰争章"活动，人人争做21世

jì de hǎo shào nián
纪的好少年。

名师点评

> 有流星划过的夜空很美丽，但小作者的心灵更美丽，这正是本文能打动读者的关键地方。

我送妈妈一双手

四川　毛磊

2000年3月7日　星期二　晴

jīn tiān fàng xué　 lǎo shī gěi wǒ men bù zhì le zuò yè　 huí qù zhǔn bèi yí jiàn lǐ wù
今天放学，老师给我们布置了作业：回去准备一件礼物，

míng tiān sòng gěi mā ma　 wǒ zuǒ sī yòu xiǎng　 dào shuì jiào qián hái bù zhī gāi sòng shén
明天送给妈妈。我左思右想，到睡觉前还不知该送什

me　 zhèng zài bèi kè de mā ma zhàn qǐ
么。正在备课的妈妈站起

lái　 lā guò wǒ de shǒu shuō　 sòng
来，拉过我的手说："送

mā yì shuāng shǒu ba　 wǒ dāi dāi de
妈一双手吧!"我呆呆地

wàng zhe mā ma　 bù zhī tā shì shén
望着妈妈，不知她是什

me yì sī　 mā ma fǔ mō zhe wǒ de tóu shuō　 shǎ hái zi　 nǐ zhǎng dà le　 gāi
么意思。妈妈抚摸着我的头说："傻孩子，你长大了。该

wèi mā ma……　 ō　 wǒ míng bái le　 wǒ shǐ jìn de diǎn le diǎn tóu shuō　 shuō
为妈妈……"噢，我明白了，我使劲地点了点头说："说

huàsuàn huà　sòng nín yì shuāng shǒu　zán men lā gōu　mā ma xiào le　wǒ yě
话算话，送您一双手，咱们拉钩。"妈妈笑了，我也

xiào le
笑了。

名师点评

小作者对图画的观察力和领悟力都比较强。用词准确，语言具体、形象，将这份特殊的礼物写得有情有意。

给姑姑的一封信

湖南　雷　思

qīn ài de gū gu
亲爱的姑姑：

nín hǎo
您好！

nín zhī dào ma　yé ye wèi wǒ zhǎo le wèi xīn nǎi nai　kě shì wǒ bù xǐ huān tā　dàn
您知道吗？爷爷为我找了位新奶奶。可是我不喜欢她。但

yé ye xiàn zài dào xīn nǎi nai jiā shēng huó le　bà ba mā ma cháng dài wǒ qù yé ye de xīn
爷爷现在到新奶奶家生活了，爸爸妈妈常带我去爷爷的新

jiā　kě shì jiàn le nǎi nai　wǒ jiù huì bù
家，可是见了奶奶，我就会不

yóu zì zhǔ de xiǎng qǐ téng wǒ ài wǒ de
由自主地想起疼我爱我的

qīn nǎi nai　zǒng jué de méi yǒu shén me
亲奶奶，总觉得没有什么

huà kě shuō　wèi cǐ　zài huí jiā de lù
话可说。为此，在回家的路

shàng　bà ba mā ma zǒng yào pī píng
上，爸爸妈妈总要批评

wǒ wǒ gǎn dào wěi qū bù zhī dào zhè xiē huà gāi duì shéi shuō yú shì jiù gěi nín xiě le
我，我感到委屈，不知道这些话该对谁说，于是就给您写了

zhè fēng xìn
这封信。

gū fù shēn tǐ hǎo ma biǎo gē biǎo jiě gōng zuò dōu máng ba
姑父身体好吗？表哥、表姐工作都忙吧？

zhù nín quán jiā jiàn kāng kuài lè
祝您全家健康快乐！

xiǎng niàn nín de zhí nǚ sī sī
想念您的侄女 思思

yuè rì
6月5日

名师点评

小作者在给姑姑的这封信里，较详细地记叙了"爷爷找了个新奶奶"这件事，并且写出了自己的想法。

我喜爱的一则广告——百事可乐

河北 刘小寒

dǎ kāi diàn shì jī gè zhǒng gè yàng de guǎng gào biàn chū xiàn zài nǐ yǎn qián qí zhōng
打开电视机，各种各样的广告便出现在你眼前：其中

yǒu xiē guǎng gào pāi de hái zhēn bú cuò wǒ tǐng xǐ huān zhè yàng yì zé guǎng gào yí gè qīng
有些广告拍得还真不错。我挺喜欢这样一则广告：一个青

nián dài zhe zuǒ luó de yǎn zhào chuān zhe yì shēn tài kōng fú cóng fēi jī shàng tiào xià zài
年戴着佐罗的眼罩，穿着一身太空服，从飞机上跳下，在

kōng zhōng yōu xián zì dé de hē zhe yí guàn bǎi shì kě lè yì zhī dà yàn wěi suí zài tā de shēn hòu
空中悠闲自得地喝着一罐百事可乐。一只大雁尾随在他的身后，

yuán lái tā bèi qīng nián shǒu zhōng de bǎi shì kě lè xī yǐn le qīng nián rén jiāng bǎi shì kě lè yí cè
原来它被青年手中的百事可乐吸引了。青年人将百事可乐一侧，

yǐn liào xún fēi xíng lù xiàn fēi
饮料循飞行路线飞

chū liú jìn le dà yàn de zuǐ
出，流进了大雁的嘴

lǐ nà zhī dà yàn biàn xīn mǎn
里，那只大雁便心满

yì zú de fēi xiàng tóng bàn
意足地飞向同伴。

yì qún dà yàn rào le yì quān
一群大雁绕了一圈

hòu zǔ chéng yí gè bǎi shì kě
后组成一个"百事可

lè de shāng biāo zhè zé guǎng gào gòu sī xīn yǐng huà miàn yōu měi yóu cǐ ràng wǒ duì bǎi
乐"的商标。这则广告构思新颖，画面优美。由此让我对百

shì kě lè chǎn shēng le hǎo gǎn wǒ mǎi de yǐn liào dōu shì bǎi shì de pǐn pái wǒ xiǎng zhè jiù shì
事可乐产生了好感，我买的饮料都是百事的品牌。我想这就是

guǎng gào de zuò yòng ba
广告的作用吧！

rán ér yǒu xiē guǎng gào què zuò de bú nà me lìng rén mǎn yì yǒu wèi gǎng tái míng xīng zuò
然而有些广告却做得不那么令人满意。有位港台明星做

le yí gè mǎ tǒng de guǎng gào huà miàn bù kān rù mù bú dàn méi yǒu jī qǐ rén men de gòu mǎi
了一个马桶的广告，画面不堪入目，不但没有激起人们的购买

yù ér qiě lìng rén fǎn gǎn yě yǒu sǔn yú tā běn rén de xíng xiàng
欲，而且令人反感，也有损于他本人的形象。

guǎng gào zuò wéi yì zhǒng cù xiāo shǒu duàn kě yǐ gè xiǎn shén tōng dàn yào zhù yì jiàn
广告作为一种促销手段，可以各显神通，但要注意健

kāng yōu měi shí zài gěi rén men yǐ měi de xiǎng shòu bìng shǐ rén men jiā shēn duì chǎn pǐn
康、优美、实在，给人们以美的享受，并使人们加深对产品

de rèn shi
的认识。

名师点评

文章用对比的方法写出了自己对广告的看法。文章有详有略，重
点放在赞扬一则广告上。文末的简短评价也是客观的。

想象篇

掩饰过失的猫

佚 名

<ruby>有<rt>yǒu</rt></ruby> <ruby>那<rt>nà</rt></ruby> <ruby>么<rt>me</rt></ruby> <ruby>一<rt>yì</rt></ruby> <ruby>只<rt>zhī</rt></ruby> <ruby>猫<rt>māo</rt></ruby>，<ruby>他<rt>tā</rt></ruby> <ruby>总<rt>zǒng</rt></ruby> <ruby>把<rt>bǎ</rt></ruby> <ruby>自<rt>zì</rt></ruby> <ruby>己<rt>jǐ</rt></ruby> <ruby>吹<rt>chuī</rt></ruby> <ruby>嘘<rt>xū</rt></ruby> <ruby>得<rt>de</rt></ruby> <ruby>了<rt>liǎo</rt></ruby> <ruby>不<rt>bù</rt></ruby> <ruby>起<rt>qǐ</rt></ruby>，<ruby>对<rt>duì</rt></ruby> <ruby>于<rt>yú</rt></ruby> <ruby>自<rt>zì</rt></ruby> <ruby>己<rt>jǐ</rt></ruby> <ruby>的<rt>de</rt></ruby> <ruby>过<rt>guò</rt></ruby> <ruby>失<rt>shī</rt></ruby>，

quèbǎibānyǎnshì
却百般掩饰。

　　tā bǔ zhuō lǎoshǔ　bù xiǎoxīn　lǎoshǔ táodiào le　tā shuō　wǒ kàn tā tài shòu　zhǐ
他 捕 捉 老 鼠，不 小 心，老 鼠 逃 掉 了。他 说："我 看 他 太 瘦，只
hǎo fàngzǒu tā　děng yǐ hòu yǎng féi le zài shuō
好 放 走 他，等 以 后 养 肥 了 再 说。"

　　tā dào hé biān zhuō yú　bèi lǐ yú de wěi ba pī dǎ le yí xià　tā zhuāng chū xiào róng
他 到 河 边 捉 鱼，被 鲤 鱼 的 尾 巴 劈 打 了 一 下，他 装 出 笑 容：
wǒ bú shì xiǎng zhuō tā　zhuō tā hái bù róng yì　wǒ jiù shì yào lì yòng tā de wěi ba lái xǐ
"我 不 是 想 捉 他—— 捉 他 还 不 容 易？我 就 是 要 利 用 他 的 尾 巴 来 洗
xǐ liǎn　gāngcái dào gé lóu shàng qù wán　bǎ wǒ de liǎngǎo de duō zǎng a
洗 脸。刚 才 到 阁 楼 上 去 玩，把 我 的 脸 搞 得 多 脏 啊!"

　　yí cì　tā diào jìn ní kēng lǐ　húnshēn hú mǎn le wū ní　kàn dào tóngbàn men jīng yì
一 次，他 掉 进 泥 坑 里，浑 身 糊 满 了 污 泥。看 到 同 伴 们 惊 异
de mùguāng　tā jiě shì dào　shēnshàng tiào zǎo duō　yòng zhè bàn fǎ zhì tā men　zuì língyàn
的 目 光，他 解 释 道："身 上 跳 蚤 多，用 这 办 法 治 他 们，最 灵 验
bú guò
不 过!"

　　hòu lái　tā diào jìn hé li　tóngbàn men dǎ suàn jiù tā　tā shuō　nǐ men yǐ wéi wǒ
后 来，他 掉 进 河 里。同 伴 们 打 算 救 他，他 说："你 们 以 为 我
yù dào wēixiǎn le ma　wǒ zài yóuyǒng　huà méi shuō wán　tā jiù chén mò le　zǒu
遇 到 危 险 了 吗？我 在 游 泳……"话 没 说 完，他 就 沉 没 了。"走
ba　tóngbàn men shuō　xiàn zài　tā dà gài yòu zài biǎoyǎn qián shuǐ le
吧!" 同 伴 们 说，"现 在，他 大 概 又 在 表 演 潜 水 了。"

名师点评

本习作紧扣画面内容向我们讽刺了一种只会掩饰过失和吹嘘自己
的人，他的下场也会像。这只猫一样，慢慢走向沉寂。

书包和铅笔

四川　刘婉颖

　　在沙发上半躺着的书包，为自己那肥胖的体形而不断地唉声叹气。躺在桌子上无精打采的铅笔，一边打哈欠一边伸着懒腰，懒洋洋地问："书包大姐，干吗那么唉声叹气的，你有什么烦恼和心事呀？"

　　书包愁眉苦脸地回答说："铅笔妹妹，你看，我的身体越来越胖，现在足足有六斤重了。尽管穿着一身漂亮的玫瑰红外衣，也改变不了那难看的身躯。"

　　铅笔毫不在意地说："那你就吃减肥药，不就行了吗？"

　　书包垂头丧气地说："那有什么用？我那肚子里给装了大书小书十多本，作业本七八本，还有什么练习册呀、字典呀、文具盒呀……把我胀得鼓鼓囊囊的，你看我的体形多丑陋呀!哪像你这么苗条,不管穿什么外衣,体形总是那样匀称美观。"

铅笔叹了口气,委屈地说:"书包大姐你太不理解我了,我的苦衷也不比你少。在学校里每节课我都要被他们用来写呀、抄呀、算呀的,从没休息过,简直累得我喘不过气来。放学后,我还要被他们继续使用,搞得我筋疲力尽。你看时间这么晚了,我还躺在桌子上等小主人的妈妈用来签字呢!"

书包无可奈何地说:"唉!我们的命多苦呀!谁叫我们是书包和铅笔呢?"

铅笔有所感触地说:"我们算得了什么?最辛苦的还是我们的小主人。每天她在学校和家里又是写,又是算,弄得手又酸又痛,视力也迅速下降了,真叫人心疼!"

书包同情地说:"真难为她了,刚满八岁的小女孩儿,每天上学放学,都背着我这沉重的身躯,肩膀被我压得又酸又疼,多可怜呀!"

一直躺在桌子上等铅笔的文具盒开口了。他说:"你们不要太悲观,只要从上到下地执行好'减负',书包,

nǐ nà féi pàng de tǐ xíng jiù huì gǎi biàn　qiān bǐ nǐ yě bú huì nà me lèi　nǐ yí dìng néng
你那肥胖的体形就会改变；铅笔你也不会那么累，你一定能

yǒu láo yǒu yì de　nǐ men de xiǎo zhǔ rén yě bú huì nà me xīn kǔ　tā yí dìng huì xué xí de
有劳有逸的；你们的小主人也不会那么辛苦，她一定会学习得

qīng sōng yú kuài
轻松愉快！"

shū bāo hé qiān bǐ qí shēng shuō　wǒ pàn wàng zhè yì tiān zǎo rì dào lái
书包和铅笔齐声说："我盼望这一天早日到来！"

 名师点评

　　书包和铅笔的对话让人们有一种沉重之感，小作者针对图画中的物品发挥想象。以书包、铅笔自述的口吻，向人们展示了学生学习的艰辛和负担的沉重，进而提出"减负"势在必行这一现实。

龟兔赛跑的秘密

 山西 王宇星

童话中，龟兔赛跑乌龟取胜的原因是兔子偷懒睡觉了。其实，根本不是那回事。在龟兔赛跑那天，作为裁判的我，亲眼目睹了那一惊心动魄的场面。

兔子正在奔跑中，突然看见有一只大灰狼在追一只小松鼠。于是，兔子放弃赛跑，毫不犹豫地跑过去拦住大灰狼并与它争执起来。借此机会，小松鼠逃走了。兔子救了小松鼠，大灰狼非常生气，于是就追起了兔子。兔子在逃跑的时候由于过度疲劳，眼睛感染上了病菌，得了红眼病。

当兔子摆脱了大灰狼跑到终点时，糊涂的猪老爷已经给先到一步的乌龟发了金牌。我正想为兔子辩白时，兔子却不让我说出这场赛跑中的事实真相。

听我讲了这个故事以后，请大家一定要记住：在龟兔赛跑中，兔子是因为见义勇为救小松鼠才没有取得胜利的，并不是因偷懒睡觉而造成如此败局的。

名师点评

这是一篇想象奇特的童话。小作者以裁判的身份，追叙了龟兔赛跑那惊心动魄的场面。赞扬了兔子见义勇为的美好品质，尤其是对兔子救松鼠这一环节的想象，更给人耳目一新的感觉。

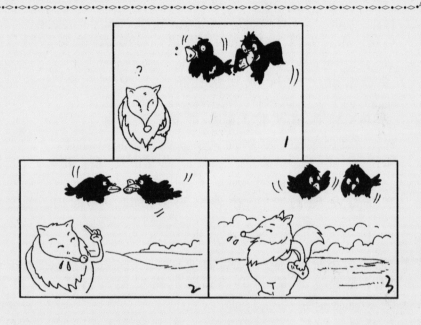

乌鸦和狐狸

湖北　邓丽君

　　乌鸦屡次被狐狸骗走口中的肥肉，使整个乌鸦家族在森林里很没面子。有对乌鸦兄弟很不服气，认为像他们兄弟俩那么聪明绝不会上狐狸的当。

一天，乌鸦兄弟出去找食，碰巧找到一块肉，他们决定逗一逗狐狸，出口气，也为乌鸦家族挽回点面子。兄弟俩衔着肉来到狐狸洞前，狐狸正准备出去找食，眼见送上门的食物，岂能放过。

可是，无论狐狸怎样花言巧语，乌鸦兄弟要么闭口无言，要么你衔肉我答，我衔肉你答，口中的肥肉总不掉下来，弄得狐狸垂涎三尺，乌鸦兄弟也好不得意。

狐狸一计不成，又生一计："你们真聪明，这块肉是乌鸦哥哥发现的吧！"看着乌鸦弟弟口中的肉，狐狸故意问。

"不，是我发现的。"乌鸦弟弟把肉交给乌鸦哥哥，抢着说。"乌鸦哥哥大，应该吃大份。"狐狸继续挑拨离间。"我吃大份。"乌鸦弟弟一口夺过哥哥口中的肉，"我吃大份。"乌鸦哥哥火冒三丈，一口扯住肥肉。"我发现的。""我吃大的。"兄弟俩谁也不让谁。"哥哥嘛，应该让着弟弟；弟弟嘛，也应该让着哥哥。"狐狸继续火上浇油，"但不知你们谁更厉害？"乌鸦哥哥一听，更火了，放开肉用嘴啄向乌鸦弟弟，乌鸦弟弟不甘示弱昂首迎去。

pā　　ròudiàozàidìshàng　hú li　yì kǒuyǎozhùròutūn jìn dù zi　　zì bú liàng
"啪!"肉掉在地上，狐狸一口咬住肉吞进肚子。"自不量

lì　hú li diūxià yí jù huà　　jìn dòngměiměishuìjiào qù le
力。"狐狸丢下一句话，进洞美美睡觉去了。

bù xī qǔ jiàoxùn de rén　kěndìnghuìyǒngyuǎn yú chǔn
不吸取教训的人，肯定会永远愚蠢。

名师点评

　　《狐狸和乌鸦》的故事可谓家喻户晓，但乌鸦是否能吸取教训呢？本篇习作向我们展示了两只愚蠢的乌鸦为争夺肉而再次上当的事，讽刺了那些不能深刻吸取教训还会上当受骗的人，给了我们更多的启示。

告　状

浙江　杨　雯

xiǎolǎoshǔhuīhuītuōzhe bǔ shǔ jiā　　sī sī dǎ dǎ lái dào fǎ tínggàozhuàng　　tā duì
小老鼠灰灰拖着捕鼠夹，撕撕打打来到法庭告状。他对

fǎ guān kū sù dào　　bǔ shǔ
法官哭诉道:"捕鼠

jiā kě zhēn shì zuò è duō
夹可真是作恶多

duān de shā rén xiōng shǒu
端的杀人凶手，

zuì zhèng lěi lěi　　wǒ de
罪证累累——我的

wěi ba bèi tā jiā duàn le
尾巴被他夹断了，

现在还包扎着呢；我的父母都丧生在他手里；我那才三个月的小弟弟也被他夹断了腿；他还常在我家门前拦路抢劫，我那年迈的老奶奶出去散步，险些遭他毒手，使她老人家得了心脏病……捕鼠夹欺人太甚，我实在忍无可忍，请法官大人为我作主啊！"说完，灰灰号啕大哭起来。

法官回头问捕鼠夹："被告还有什么要说？"捕鼠夹不慌不忙地回答："他说的全属事实。可是，法官大人，请你问问他，他的父母死在何处？他的奶奶在哪里散步？他的弟弟因何夹断腿？他的父母因钻进我主人家的谷仓里偷吃谷子，被我主人发现，但他们溜得挺快，主人没法，只好把我请进仓，害得我闷了好几天呢！他的奶奶更狡猾，竟天天到我主人家的碗橱里，咬破了纱栏，打碎了肉碗。主人无奈只得再次把我请到厨房。至于他们兄弟几个嘛，偷吃的本领绝不亚于他们的前辈……"

"这……"灰灰一时语塞，但他眼珠一转，狡黠地说，"可是偷吃食物是老鼠的本性，俗话说'江山易改，本性难移'。谁叫我们的祖先有这习惯呢。你们怎么能把账算在我头上呢？"说着，灰灰装出一副十分委屈的样子。

这招还真灵，竟使善良的胖法官感动得流下了眼泪来，并为灰灰鸣不平："原告说得有理，尽管他做了错事，可是不去偷吃就得饿死。兔子急了还咬人呢，何况这关系到生死呢！再说你们把他祖先的过错算在他头上，这对他不公平。毕竟，他还只是个孩子嘛，也许老天安排给他的工作就是偷吃东西呢……"这下，灰灰心里乐开了花，得意地瞟了一眼捕鼠夹。面对不讲理的灰灰和不辨事非的法官，捕鼠夹肺都快气炸了，可他只是平静地说："如果偷吃是老鼠的本性，那么刚正不阿便是我的本性了；如果偷吃东西是老鼠的工作，那么任凭老鼠偷东西吃便是我的失职了。很抱歉，灰灰，我们不管怎么样都不可能化敌为友的"。说完，便径直走出了法院大门。

灰灰面红耳赤，羞得无地自容，乘人不注意，就像他的名字一样——灰溜溜地溜出法庭，逃回他的老家——臭水沟旁的垃圾堆里。

法庭上，死一般的寂静。不一会儿，法官趴在桌上睡着了。

名师点评

　　这是一个幽默、诙谐的童话，文中以小老鼠灰灰的口吻，述说了捕鼠夹的威力，似乎自己很是委屈，当捕鼠夹问其缘由时，老鼠却语塞抵赖。最让人痛恨的是那不辨是非的胖法官，使捕鼠夹气愤而走，所有这一切都似乎是一场闹剧。但却折射出社会上的种种现象。这难道不值得我们沉思吗？

聪明的小花猫

甘肃　曾　杰

xiǎo huā māo shì yí gè jì cōng míng yòu dǒng shì de hǎo hái zi　māo mā ma shēng
　小花猫是一个既聪明又懂事的好孩子。猫妈妈生
bìng le　xiǎo huā māo mào zhe é máo dà xuě zhuō le jǐ tiáo yú　zhǔn bèi gěi mā ma zuò
病了，小花猫冒着鹅毛大雪捉了几条鱼，准备给妈妈做

一顿好吃的，让妈妈的病快点好。

小花猫正匆匆忙忙地往家走，突然背后跑出一只狐狸，气喘吁吁地说："不好了，你的好朋友小兔生病了，他发高烧想吃鱼。"

小花猫想："小兔平时和我在一起堆雪人、捉迷藏，是我最好的朋友，给他一条鱼吃又怎么样呢？"刚想把鱼递给狐狸，可又收了回来，说："你骗人，小兔是不吃鱼的。"

狐狸一听诡计被识破了，眼珠一转又生一计："哦！是这样的，小兔生病吃不下东西，我把自己储藏的蔬菜给小兔吃了。我的肚子饿得瘪瘪的，你就可怜可怜我吧！"

小花猫想："别骗人了，那天我还看见你在追一只兔子，差点没把他吃了。哼！真是'老虎挂念珠——假慈悲'。我何不来个将计就计！"想到这，小花猫对狐狸说："你想吃鱼吗？这些鱼都太小了。"狐狸半信半疑，小花猫见状接着说："我告诉你，你可别告诉别人。就在南边的河里，人们在那儿凿了一个窟窿，只要把尾巴伸进去就会钓出鱼来。你的尾巴又宽又长，一次就会钓出三条鱼来，不过你可得有耐心，否则鱼就不上钩了。"小花猫说完转身就走

le hú li bù xiāng xìn jiù gēn zài xiǎo huā māo de bēi hòu xiǎo huā māo qiè xǐ
了。狐狸不相信，就跟在小花猫的背后。小花猫窃喜，
zhuāngmúzuòyàng de shuō āi ya gāngcáiwǒzhēnshǎ bǎ zhè gè bǎo dì fāng gào
装模作样地说："哎呀！刚才我真傻，把这个宝地方告
sù le tā yǐ hòuwǒde yú bù jiù shǎo le ma hāi zhēnhòuhuǐgào sù tā tīngdào
诉了他，以后我的鱼不就少了吗？嗨！真后悔告诉他。"听到
zhè hú li jiùxiàng lí xián de jiàn fēi pǎodàonánbiān de hé gōu mǎshàng bǎ wěi ba
这，狐狸就像离弦的箭飞跑到南边的河沟，马上把尾巴
shēn le jìn qù
伸了进去。

guò le yí huì er tiān sè biàn le hú li hěn lěng xiǎng bǎ wěi ba bá chū lái
过了一会儿，天色变了，狐狸很冷，想把尾巴拔出来，
kě shì tā de wěi ba yǐ jīng bèi dòng de láo láo de le zhè shí cái zhī dàoshàng le xiǎo huā
可是他的尾巴已经被冻得牢牢的了，这时才知道上了小花
māode dàng hú li xiǎng xiǎohuāmāo wǒ yí dìngyàozhǎo nǐ suànzhàng zhè
猫的当。狐狸想："小花猫，我一定要找你算账。"这
shízhǐtīng pēng de yì shēngqiāngxiǎng jiǎohuá de hú li pā zài dì shàng bú dòng
时只听"砰"的一声枪响，狡猾的狐狸趴在地上不动
le zhèshízǒuguò lái yí gè liè rén shǒu lǐ ná zhe liè qiāng pángbiānháizhànzhe yì
了。这时走过来一个猎人，手里拿着猎枪，旁边还站着一
zhīxiǎohuāgǒu nà gè liè rén yí kàn xiào hē hē de shuō hú li yě huìgànzhèzhǒng
只小花狗。那个猎人一看，笑呵呵地说："狐狸也会干这种
chǔnshì ya shuōwán līn qǐ hú li jiù zǒu le
蠢事呀！"说完拎起狐狸就走了。

cōngmíng de xiǎohuāmāozhōng yú zhànshèng le hú li yòng yú gěimāmazuò le
聪明的小花猫终于战胜了狐狸，用鱼给妈妈做了
yí dùnměicān māomāmagào sù xiǎohuāmāo jiǎohuáguò dù jiù shì yú chǔn
一顿美餐。猫妈妈告诉小花猫："狡猾过度就是愚蠢。"

 名师点评

在狡猾的狐狸面前，小花猫是弱小的，但它的机智、勇敢，却战胜了狐狸。本篇习作以对话的形式，写了狐狸受骗并得到了应有的下场？文章在赞叹小花猫聪明的同时，对狐狸的狡猾愚蠢也进行了辛辣的讽刺。

大树爷爷告诉我们

江苏　张琪

jīn tiān shì dà shù yé ye de bā shí dà shòu　sēn lín lǐ yí pài huān lè de jǐng xiàng
今天是大树爷爷的八十大寿，森林里一派欢乐的景象，
dà jiā dōu máng zhe wèi dà shù yé ye bǎi shòu xí　dà shù yé ye ne　zài páng biān lè de
大家都忙着为大树爷爷摆寿席，大树爷爷呢，在旁边乐得
hé bù lǒng zuǐ　zhè shí　xiǎo hóu gěi dà shù yé ye sòng lái le liǎng gè hóng tōng tōng de dà
合不拢嘴。这时，小猴给大树爷爷送来了两个红彤彤的大
shòu táo　jiē zhe　xiǎo cì wei gěi dà shù yé ye sòng lái le sān gè jiào rén chuí xián sān chǐ
寿桃；接着，小刺猥给大树爷爷送来了三个叫人垂涎三尺
de dà píng guǒ　xiǎo māo yě wèi dà shù yé ye sòng lái le yì guō xiāng pēn pen de qīng
的大苹果；小猫也为大树爷爷送来了一锅香喷喷的清
zhēng yú tāng　dà shù yé ye bié tí yǒu duō gāo xìng le　tā lè hē he de zhāo hū zhe měi
蒸鱼汤。大树爷爷别提有多高兴了，他乐呵呵地招呼着每
yí wèi qián lái wèi tā zhù shòu de kè ren
一位前来为他祝寿的客人。

晚上，祝寿晚会开始了，小白兔为大树爷爷跳了一个舞；百灵鸟为大树爷爷唱了一首美妙动听的歌。这时，调皮的小猴对大家说："今天的主角是大树爷爷，我们让大树爷爷为我们表演一个节目吧！""好！"大家一边鼓掌，一边把大树爷爷请上了台，"我年纪大了，也不会表演什么节目，这样吧，我给大家讲一讲我小时候的故事吧！"大家都爱听大树爷爷讲故事，便围在了大树爷爷的身边。

"那是一个春天，我被一个老农种在了这片大森林里，我一直都过着幸福的生活。渐渐地，我长大了。突然有一天，我看到了一群扛着大锯的伐木工人，他们狠心地锯倒了一棵又一棵的大树。幸好，我长在石头缝里，谁也没有办法锯倒我。从此，这片大森林里就只剩下孤零零的我和一些树墩。谁知，这事竟然惊动了上帝，上帝发火了，决定好好地惩罚一下残酷的人类。一天晚上，老天突然下起了倾盆大雨。一下就是三天三夜，无数房屋被冲垮了，无数家庭离散了，人们的哭声、喊声连成一片……这时，人类才完全醒悟了。过了几天，风停了，雨也停了，我突然看到了一群人，他们带着铁铲、水桶和无数的小树苗……从那以后，这片大森林又恢复了原样，这里树木繁多、鸟语花香，小鸟们在蓝蓝的天空尽情地翱翔着，小动物在青青的草地上开心地嬉戏着……"

"是啊，是啊，我们树能够为人类减少空气污染，能为人们挡风避雨，对付洪涝灾害，还能美化环境，可以说，我们树是这个世界上不可缺少的一种植物呀！"还没等大树爷爷说完，旁边的小树便插嘴了。

大树爷爷的故事讲完了，不知是谁带领大家唱起了《热爱地球妈妈》这首歌，歌声传遍了整个大森林："妈妈的草地是温暖的摇篮，请你不要把草地毁坏，让妈妈心酸。地球是我们的妈妈，我们都是她的孩子。热爱妈妈吧，请不要给妈妈增添麻烦……"

 名师点评

文章重点写出了大树爷爷亲眼目睹的事实，它告诫人类，应多种树，少乱伐，结尾以歌词代表万物的呼声："保护地球妈妈，热爱地球妈妈！"习作想象丰富奇特，语言流畅，构思也很巧妙。

一次教训

吉林　元慧乔

dòng wù wáng guó yào jǔ xíng yì nián yí dù de yùn dòng huì le　　yǐ qián kāi yùn dòng
　　动物 王 国要举行一年一度的运动会了，以前开运动

huì　dòng wù men de rè qíng kě gāo le　　kě zhè cì　tā men què dōu bǎ zì jǐ guān zài
会，动物们的热情可高了，可这次，他们却都把自己关在

wū lǐ　zhè shì wèi shén me ne
屋里，这是为什么呢？

yuán lái　zuì jìn tā men kàn diàn shì kàn bào zhǐ　dōu zhī dào le yào gǎi gé　kāi
　　原来，最近他们看电视看报纸，都知道了要改革，开

chuàng xīn shì wu　tā men kāi yùn dòng huì ná jiǎng　ná de duō le　yě jué de yàn juàn
创 新事物。他们开运动会拿奖，拿得多了，也觉得厌倦

le　xiàn zài　tā men zài xiǎng yīng hào zhāo　gǎo gǎi gé　bào xīn de yùn dòng huì
了，现在，他们在响应号召，搞改革，报新的运动会

xiàng mù
项目。

第二天，狮大王让报项目，当狐狸秘书把报名表拿来时，狮大王愣住了：兔子报爬树，猴子报游泳，大象报田径，松鼠报跳高，老鼠报举重。"天那！这都是什么呀！乱糟糟的，哼！"狮大王想。不过，他很快又想通了："这有什么呀，让他们试试吧。我倒想看看！"于是，狮大王在表上签了字。

过了一个月，比赛正式开始，第一项是田径，大象上场了，只见大象扭着笨重的屁股，一步一步地向前走着。田径是要求无声的，可是大象一上场，简直是雷声阵阵啊！谁看得下去啊？都跑开了！第二项是爬树，兔子来到树下，伸出小白爪，抓住树干向上爬，可兔子哪会爬树啊！费了九牛二虎之力爬到了树半身，实在是没劲了，想学猴子用尾巴钩住树枝，可他尾巴太短了，没钩上。结果，"嗵"一声掉了下来，摔断了腿，送进了医院。接下来更乱，老鼠举重，被掉下来的举重杆砸成重伤；松鼠跳高，摔成了残疾，膝盖严重骨折；猴子游泳，被灌成了大肚猴。狮大王实在看不下去了，宣布运动会暂停。

tōng guò zhè cì jiào xùn   dòng wù men míng bai le yí gè dào li   chuàng xīn shì hǎo
通 过 这 次 教 训， 动 物 们 明 白 了 一 个 道 理： 创 新 是 好

de dàn yào qiē hé shí jì àn zì jǐ de néng lì bàn shì bú yào bú zì liàng lì fǒu zé
的， 但 要 切 合 实 际， 按 自 己 的 能 力 办 事， 不 要 不 自 量 力， 否 则

kě néng huì fā shēng yán zhòng de hòu guǒ rú guǒ dāng chū bú nà yàng mán gàn xiàn zài
可 能 会 发 生 严 重 的 后 果， 如 果 当 初 不 那 样 蛮 干， 现 在

kě néng yòu yǒu yí gè xīn de jiǎng bēi rù zhàng le
可 能 又 有 一 个 新 的 奖 杯 入 账 了。

 名师点评

改革、创新是近年来出现频率最高的词，但动物界的改革与创新却令人啼笑皆非：大象跑步雷声阵阵、兔子爬树摔断了腿、老鼠举重被砸成重伤……这哪像开运动会，简直是冒险游戏。习作的结尾点明了主题。

埋西瓜

北京 曹 悦

一天下午，天气晴朗，天空飘着几朵白云。小猴、小猪和小熊一起出去玩。忽然他们发现路边有个又大又圆的西瓜，真是高兴极了。小猪和小熊高兴地说：咱们把它吃了吧！"小猴一听忙拦住他俩说："咱们不是刚刚吃过果子吗？这样吧，把它埋起来留着明天吃，你们说怎么样？"小猪和小熊一听这倒是个好主意，二话没说就同意了。

他们挖了个坑，把西瓜埋了进去。他们刚想走，小猴忽然拉住小猪和小熊说：别走！咱们得记住西瓜埋在什么地方，明天看谁能找得到。"没等小猴说完小猪抢先说："我记住了，埋西瓜的地方有太阳光。"说完得意地看看小猴和小熊。小猴嘿嘿一笑没说话。小熊忍不住说："我也记住了，埋西瓜的地方有一朵白云。"小熊心里想：我的办法准比小猪的好。小猴仔细看四周，

rènzhēn de shuō　　wǒ yě jì zhù le　　xī guā mái zài sān kē shù de zhōngjiān
认真地说："我也记住了，西瓜埋在三棵树的中间。"

dì èr tiān zǎoshàng tā men lái zhǎo xī guā　　xiǎozhūkànkanzhè lǐ yǒuyángguāng
第二天早上他们来找西瓜。小猪看看这里有阳光，

wā wā　　méiyǒu xī guā　　zài kàn nà yě yǒuyángguāng　　zài wā wā　　hái shì méiyǒu xī
挖挖，没有西瓜；再看那也有阳光，再挖挖，还是没有西

guā　　zǐ xì yí kàn　　dàochùdōuyǒuyángguāng　　xiǎozhū yí xià shǎ le yǎn　　xiǎoxióng
瓜。仔细一看，到处都有阳光，小猪一下傻了眼。小熊

shuō　　kànwǒ de　　tā tái qǐ tóu lái zhǎo nà duǒbáiyún　　kě shì tiānkōngzhōng yì duǒ
说："看我的！"他抬起头来找那朵白云，可是天空中一朵

báiyún yě méiyǒu　　xiǎoxióng qí guài de shuō　　báiyúnduǒ dào nǎ er qù le ne　　xiǎo
白云也没有。小熊奇怪地说："白云躲到哪儿去了呢，"小

hóushuō　　hái shì kànwǒ de ba　　tā zhǐ zhǐ bù yuǎnchù de sān kē shùshuō　　zǒu
猴说："还是看我的吧！"他指指不远处的三棵树说："走，

dào nà er kànkan qù　　tā men lái dàosān kē shùzhōngjiān　　yì wā jiù bǎ xī guāwāchū
到那儿看看去。"他们来到三棵树中间，一挖就把西瓜挖出

lái le
来了。

tā menzuò zài shù xià chī qǐ le tián tián de xī guā　　xiǎo zhū biān chī biān shuō
他们坐在树下吃起了甜甜的西瓜，小猪边吃边说：

xiǎohóu　　hái shì nǐ de bàn fǎ hǎo　　xiǎoxióng yě shuō　　xiǎohóu　　nǐ zhēncōng
"小猴，还是你的办法好！"小熊也说："小猴，你真聪

míng　　xiǎohóuqiān xū de shuō　　zhè méishénme　　zhǐyào duōdòngnǎo jīn　　shuí
明！"小猴谦虚地说："这没什么，只要多动脑筋，谁

dōuhuìbiàncōngmíng de
都会变聪明的。"

 名师点评

　　本习作仿照小学生语言课本中《三只白鹤》的写法，写出
了小猴、小熊、小猪埋西瓜的故事，阳光、白云不固定的，
小猪、小熊以它们为记号当然找不到西瓜，只有猴子选
定的三棵树是固定不变的，西瓜自然就找到了。本习作
留给我们哪些思索呢？

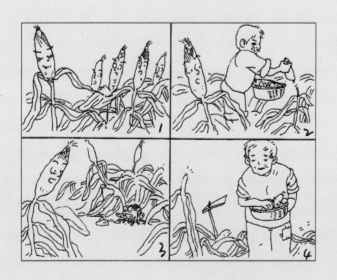

老玉米棒

上海　陈玉明

yù mǐ de lǐ　yǒu yì kē zhuàng shi de yù mǐ bàng
玉米地里，有一棵壮实的玉米棒。

sì zhōu de yù mǐ bàng dōu xiàng tā tóu qù xiàn mù de mù guāng　lǎo xiōng　hǎo
四周的玉米棒都向它投去羡慕的目光："老兄，好

yàng de　nǐ zhǎng de zhēn bàng
样的，你长得真棒！"

dào le zhāi yù mǐ de shí hòu　lǎo nóng kuà zhe lán zi zǒu jìn dì lǐ　yì yǎn jiù qiáo
到了摘玉米的时候，老农挎着篮子走进地里，一眼就瞧

jiàn zhè kē zhuàng shi de yù mǐ bàng　tā xīn xǐ de shàng qián yòng shǒu qīng qīng de jiāng
见这棵壮实的玉米棒。他欣喜地上前用手轻轻地将

tā fǔ mō yí xià　kàn le yí huì　xiǎng le xiǎng　xiào zhe diǎn diǎn tóu　bú cuò bú
它抚摸一下，看了一会，想了想，笑着点点头："不错，不

cuò　zhǎng de zhēn gòu jiē shi de
错，长得真够结实的。"

但让这棵玉米棒感到意外的是，老农并没有把它摘下来，却将其他的一些玉米棒放进了篮里。

第二天、第三天都是如此，老农含笑朝它望望，然后走开去摘其他的玉米棒。

"太令人伤心了！"这棵壮实的玉米棒不禁暗自抽泣起来："不知道主人为什么瞧不起我，看来我只能孤零零地在地里守望，直到老死腐烂在泥土中……"

"老弟，别这么难过。"一个声音从泥块中传来，玉米棒低头一看，是蛤蟆老哥。"我说主人八成是相中了你，想让你留着变老变结实，然后作为明年的种子，这可是派你大用场啦。我常年待在这块地里，不会看错的。"

"是吗？"壮实的玉米棒将信将疑，心情平静下来。

转眼到了深秋，整块玉米地里的玉米棒差不多摘完了，唯独这棵壮实的玉米棒在秋风中沉甸甸地摇曳着，这时的它，果真变得更老更坚实了。

这天，终于又盼来了老农，老农小心翼翼地把这棵壮实的老玉米棒摘下来，仔细地看了一阵，然后小心地放进篮里，高兴地自语道："不错，不错，一颗颗玉米粒都是

zhuàng zhuàng de yìng yìng de yòng tā zuò zhǒng zi míng nián fēng shōu méi
壮 壮 的，硬 硬 的，用 它 做 种 子，明 年 丰 收 没
shuō de
说 的。"

zhè kē zhuàng shi de yù mǐ bàng xīn lǐ gāo xìng jí le àn zì shuō zhǔ rén
这 棵 壮 实 的 玉 米 棒 心 里 高 兴 极 了，暗 自 说："主 人，
fàng xīn ba lái nián wǒ yí dìng huì dài gěi nǐ yí gè jīng xǐ
放 心 吧，来 年 我 一 定 会 带 给 你 一 个 惊 喜。"

 名师点评

> 　　一棵壮实的玉米棒在经历了许多的猜测和磨炼后，成为第二年的玉米种，让人读后有一种新奇之感。文中玉米棒与蛤蟆的对话也很有特色，给人留下深刻的印象。

小蒲公英找新家

 河北 刘贞

在碧蓝的天空下面是一望无际的大草原，蒲公英妈妈和她的女儿小蒲公英就住在这里。

这天，蒲公英妈妈把小蒲公英叫到身边说："孩子，你已经长大了，该自己独立生活了。明天，我叫风婆婆带你去找一个你喜欢的地方——属于你自己的新家，去开创自己的新生活吧！"小蒲公英很懂事，默默地点着头。

要离家远去了，小蒲公英心里真有点儿舍不得，她独自来到家门口，深情地望着生她养她的家乡：那蔚蓝的天空上飘浮着几朵雪白的云，一望无际的大草原像绿色的大地毯，一簇簇的野花点缀在上面，一缕缕花香扑鼻而来，清澈的河水"哗哗"地唱着歌流向远方……

"呼——"一阵风吹来，风婆婆把小蒲公英拉起来，

河岸 上 绿草如茵，总可以安居乐业了吧！" 小蒲公英 拽紧
风 婆婆的衣衫 说："您得和我仔细看看。" 她们落到河岸边，
抬头一看，河面 上 浮着一团团白色的泡沫，河水变成了
暗褐色，一条条鱼已被毒死，肚子朝 上 漂在水面 上 。看
到这里，小蒲公 英对风婆婆哀求："这里比起我的老家来差
多了，我不在这里安家！"

　　风婆婆本来不愿意再带她去四处找家了，想让她在
这儿凑合着住，可是看到小蒲公英恐惧而渴望的目
光 ，心又软下来了。"可怜可怜这个远离父母、孤苦伶
仃的小 生 命吧！"风婆婆一面自言自语，一面抱起小
蒲公英，又踏上了找新家的漫漫 征途。

名师点评

　　一朵小小的蒲公英竟然找不到属于自己的家，让人读了心
里怎能不难受呢？与生她养她的家乡比，没有蓝天、白云。没
有草原、河流。有的是黑黑的烟囱、灰蒙蒙的天，有的是被砍
光的树和暗褐色的河水，这怎能不使蒲公英伤心呢？从中可以
看出作者想象力丰富，对环保问题也很关注。

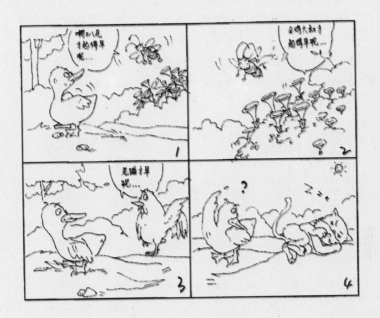

谁起得早

吉林 李良

zǎochén　xiǎo yā zi bù kěn qǐ chuáng　　yā māma duì xiǎo yā zi shuō　　qínláo
早晨，小鸭子不肯起床，鸭妈妈对小鸭子说："勤劳

de rén qǐ chuáng zǎo　　nǐ kàn chuāng hu wài biān　　mì fēng yǐ jīng zài cǎi huā mì le　　nǐ
的人起床早，你看窗户外边，蜜蜂已经在采花蜜了，你

yào xiàng tā xué xí
要向她学习"

xiǎo yā zi tīng le māma de huà　　lì kè qǐ chuáng　　zǒu dào yuàn zi lǐ　　duì mì
小鸭子听了妈妈的话，立刻起床，走到院子里，对蜜

fēng shuō　　mì fēng jiě jie　　nǐ qǐ de zhēn zǎo　　wǒ yào xiàng nǐ xué xí　　xiǎo mì
蜂说："蜜蜂姐姐，你起得真早，我要向你学习。"小蜜

fēng shuō　　wǒ qǐ de bù zǎo　　měi tiān zǎochén wǒ lái cǎi mì de shíhou　　lǎ bā huā yǐ
蜂说："我起得不早，每天早晨我来采蜜的时候，喇叭花已

jīngkāi le　　tā cái qǐ de zǎo ne　　xiǎo yā zi tīng le　　zhǎodào lǎ bā huāshuō　　lǎ

经开了。她才起得早呢!"小鸭子听了,找到喇叭花说:"喇

bā huā ā yí　　nín qǐ de zhēnzǎo　　wǒyàoxiàngnínxué xí　　lǎ bā huāshuō　　wǒ qǐ

叭花阿姨,您起得真早,我要向您学习。"喇叭花说:"我起

de cái bú suànzǎo　　měitiāndōushì dà gōng jǐ jiàoxǐngwǒ de　　tā cái qǐ de zǎo ne

得才不算早,每天都是大公鸡叫醒我的,他才起得早呢!"

xiǎo yā zi tīng le　　jiù qù zhǎodà gōng jǐ　　gōng jǐ dà shū　　nín qǐ de zhēnzǎo

小鸭子听了,就去找大公鸡:"公鸡大叔,您起得真早,

wǒyàoxiàngnínxué xí　　dà gōng jǐ shuō　　wǒ nǎ er qǐ de zǎo a　　měitiānwǒchuī

我要向您学习。"大公鸡说:"我哪儿起得早啊,每天我吹

qǐ chuánghào de shíhou　　lǎomāozǎo jiù dǎi le hǎo jǐ zhǐlǎoshǔ le　　tā cái qǐ de zǎo

起床号的时候,老猫早就逮了好几只老鼠了,他才起得早

ne　　xiǎo yā zi tīng le　　yòu lì kè qù zhǎolǎomāo

呢!"小鸭子听了,又立刻去找老猫。

xiǎo yā zi zǒu jìn lǎomāo jiā　　dōngqiáoqiao　　xī wàngwang　　zěnme yě bú jiàn

小鸭子走进老猫家,东瞧瞧,西望望,怎么也不见

lǎomāo de yǐng zi　　tā zài dī tóuwǎng lǐ yí kàn　　yo　　lǎomāozhèng zài dì shàngshuì

老猫的影子,他再低头往里一看,哟,老猫正在地上睡

jiào ne　　xiǎo yā zi bù míngbaizhè shì zěnmehuíshì　　tài yáng yǐ jīngshēng de lǎogāo le

觉呢,小鸭子不明白这是怎么回事:太阳已经升得老高了,

zěnme qǐ de zuìzǎo de lǎomāoháizàishuìjiào ne

怎么起得最早的老猫还在睡觉呢?

 名师点评

不同的动物都有自己不同的生活习性,爱早起的大公鸡,不辞辛劳的小蜜蜂,早晨开放的喇叭花,白天睡觉晚上捕鼠的老猫,它们都在为人类作着不同的贡献,如果小鸭子懂得了这些,它就明白其中的道理了。

白兔卖甜菜

陈江华

zhè yì nián　　bái tù zhòng de tián cài huò dé le fēng shōu　　yòu dà yòu xīn xiān　 yóu
这一年，白兔 种 的甜菜获得了丰 收，又大又新鲜，尤

qí tián　 tā zhǔn bèi bǎ tián cài yùn dào shì chǎng shàng qù mài yí gè hǎo jià qián　 jiù jīng
其甜。她 准备把甜菜运到市 场　上 去卖一个好价钱，就精

xīn de xiě le　yí kuài zhāo pai　　　tián cài　 yì yuán qián yì jīn　 tián de wǒ shě bù
心地写了一块 招牌：" 甜菜，一元 钱一斤，甜的我舍不

de mài
得卖！"

dì èr tiān　 bái tù tuī le　yì xiǎo chē shàng děng de tián cài qù le cài shì chǎng　　tā
第二天，白兔推了一小车 上 等的甜菜去了菜市 场 ，她

zhǐ zhe tián cài hé zhāo pai dà shēng yāo he qǐ lái　　　péng you men　 tián cài　 tián cài
指着甜菜和招牌大 声 吆喝起来："朋友们，甜菜，甜菜，

yì yuán qián yì jīn　　tài tián le　　tián de wǒ dōu shě bù de mài le　　kuài lái mǎi yo
一元 钱一斤，太甜了，甜得我都舍不得卖了，快来买哟！"

hǎn le dà bàn tiān　　kě gù kè men zǒng shì yuǎn yuǎn de kàn kan tā de tián cài hé zhāo pai
喊了大半天，可顾客们 总是远 远 地看看她的甜菜和招牌，

jiù yáo yáo tóu tí zhe lán zi zǒu le　　rán hòu mǎi bié jiā de tián cài qù le　　bái tù xīn lǐ hěn
就摇摇头提着篮子走了，然后买别家的甜菜去了。白兔心里很

shì nà mèn
是纳 闷。

zhè shí　　bái tù kàn jiàn yuǎn chù shān yáng bó bo mài wán le tián cài zhèng zhǔn bèi huí
这时，白兔看见远处山羊伯伯卖完了甜菜正 准备回

jiā　　lián máng jiào zhù shān yáng bó bo　　xiàng tā qǐng jiào wèi shén me zì jǐ de tián cài mài
家，连忙 叫住 山 羊 伯伯，向 他请教为什么自己的甜菜卖

bù chū qù
不出去。

shān yáng bó bo kàn le kàn bái tù de tián cài　　yòu cháng le yì diǎn　　bǐ wǒ de hái
山 羊 伯伯看了看白兔的甜菜，又 尝了一点："比我的还

hǎo ne　　shuō zhe　　tā yòu kàn le kàn zhāo pai　　què bù jīn xiào le qǐ lái　　bái tù
好呢！"说着，他又看了看招牌，却不禁笑了起来："白兔，

wǒ zhǎo zháo máo bìng le　　nǐ zhāo pai shàng xiě zhe　　tián de wǒ shě bù dé mài　　yì sī
我找着毛病了。你招牌上 写着'甜的我舍不得卖'，意思

bú shì gào sù gù kè nǐ mài de tián cài bù tián ma　　zhè dāng rán méi gù kè mǎi le　　nǐ yīng
不是告诉顾客你卖的甜菜不甜吗？这 当然没顾客买了。你应

gāi bǎ zhāo pai zhōng de de zì gǎi chéng de　　tián de wǒ shě bù dé mài cái
该把招牌中的'的'字改成 '得'，'甜得我舍不得卖'才

shì shuō míng tián cài hěn tián　　cái néng xī yǐn gù kè
是说 明甜菜很甜，才能吸引顾客！"

wǒ běn lái de yì sī yě shì xiǎng shuō wǒ de tián cài hěn tián　　méi xiǎng dào cuò yòng
"我本来的意思也是想 说我的甜菜很甜，没想到错用

le tóng yīn zì　　bǎ shì qing nòng zāo le　　bái tù huǎng rán dà wù de shuō
了同音字，把事情弄糟了！"白兔 恍 然大悟地说。

bái tù xiàng shān yáng bó bo dào le xiè　　bǎ de zì gǎi chéng dé zì
白兔向 山 羊 伯伯道了谢，把"的"字改成"得"字，

yòu dà shēng de yāo he qǐ lái　　bù yí huì er　　bái tù de tián cài jiù bèi qiǎng gòu yì
又大 声 地吆喝起来。不一会儿，白兔的甜菜就被抢 购一

kōng le
空了。

名师点评

一字之差，却有着天壤之别，用错字的小白兔怎能明白其中的道理呢？这篇趣味性很强的习作告诉我们，必须学好语言，才能把自己的意思准确表达出来。

猴子下棋

山西　魏　芳

xiāng chuán　zài qīng zàng gāo yuán de yí zuò gāo shān shàng　jīng cháng yǒu liǎng
相　传，在青藏高原的一座高山上，经常有两

wèi xiān rén zuò zài shān fēng shàng quán shén guàn zhù de xià qí　dāng dì hóu zi jiào duō
位仙人坐在山峰上全神贯注地下棋。当地猴子较多，

yǒu yì zhī lǎo hóu zi tiān tiān pá shàng shù tōu kàn xiān rén xià qí　bù zhī shì shuí jiāng zhè ge
有一只老猴子天天爬上树偷看仙人下棋。不知是谁将这个

秘密透露出去了，山民们也纷纷跑到山峰下来观看仙人下棋。仙人不愿见凡人，就飘然而去，再也没有到这儿来。天天在树上偷看仙人下棋的老猴子气极了，便跳下树来与山民较量棋艺，可那些山民没有一个人是老猴的对手。县官闻知此事，便令衙役手执兵器把老猴子逮来，作为珍贵的贡品送往京城，献给了皇帝。

　　皇帝让宰相、大臣与老猴较量棋艺，可是他们也都不是老猴的对手。皇帝忽然想起了还在牢中受苦的下棋高手——大臣杨靖。这杨靖机智灵敏，棋艺高超，所以皇帝特意让他出狱与老猴较量。

　　杨靖请求皇帝给他一个盘子和五个仙桃。下棋时，杨靖故意把盛着仙桃的盘子放在旁边。老猴伸手下棋，眼睛却只顾看着盘里的仙桃，结果，输给了杨靖。

　　这个故事告诉我们，只要像杨靖一样，在关键的时刻开动脑筋，想出办法，就能战胜对手。

 名师点评

　　俗话说："一心不可二用。"棋艺高超的老猴就输在了这句话上。大臣杨靖的这一招确实高，这个故事也告诫我们，做什么事应开动脑筋，一心一意才行。

狼和大象

吉林　张丹秋

yǒu yì zhī láng zhù zài yí gè wō peng lǐ   tā cóng lái bù xiū lǐ   yě bù dǎ sǎo
有一只狼住在一个窝棚里，他从来不修理，也不打扫，

suǒ yǐ zhè gè wō peng yòu pò yòu zāng   yí pèng jiù dǎo
所以这个窝棚又破又脏，一碰就倒。

yì tiān   yì zhī dà xiàng cóng láng de zhù chù páng biān jīng guò   tā de dà ěr duo hū
一天，一只大象从狼的住处旁边经过，他的大耳朵呼

shan hū shan de pèng le wō peng yí xià   wō peng jiù qīng xié le
扇呼扇地碰了窝棚一下，窝棚就倾斜了。

zhēn duì bù qǐ   péng you   dà xiàng duì láng qiàn yì de shuō   wǒ bú shì yǒu
"真对不起，朋友！"大象对狼歉意地说，"我不是有

yì de   wǒ mǎ shàng jiù bǎ tā xiū hǎo
意的。我马上就把它修好！"

dà xiàng zhēn yǒu běn shì   tā ná qǐ chuí zi   dīng zi jiù dòng qǐ shǒu lái   bú yí
大象真有本事，他拿起锤子、钉子就动起手来。不一

会儿就修好了，窝棚比以前结实多了。"哦!"狼心中暗想，"看来他是怕我呀!先是向我道歉，然后就动手给我修窝棚。我何不趁此机会让他再给我盖一座新房子呢!""站住!"狼大声吆喝道，"你这怎么回事?你以为我是好欺负的?你把我的窝棚撞坏了，马马虎虎用钉子钉几下就想完事，没那么便宜，你得给我盖一座新房子!不然我要好好教训你一顿。"

听完这番话，大象一声没吭，他不费吹灰之力，用鼻子把狼卷起来，一下子扔进了臭水坑里，然后一抬脚把房子踢了个粉碎。"这就是你的新房子!"大象说完就头也不回地走了。

"哎!我怎么一点也不明白?"狼倒在臭水坑里，四脚朝天，翻着眼珠。

"这个蠢货!"这一切让乌鸦看在眼里，他对狼说，"把别人对你的尊敬，当成软弱好欺，就该受到惩罚。"

 名师点评

> 这个故事留给人们很多启示，生活中总有些人把别人的尊敬与谦让当成软弱好欺的靶子，最后的结果呢?大概与狼相似吧!作者抓住画面所表达的内容，叙述流畅，对话尤其精彩。